KB164099

고수

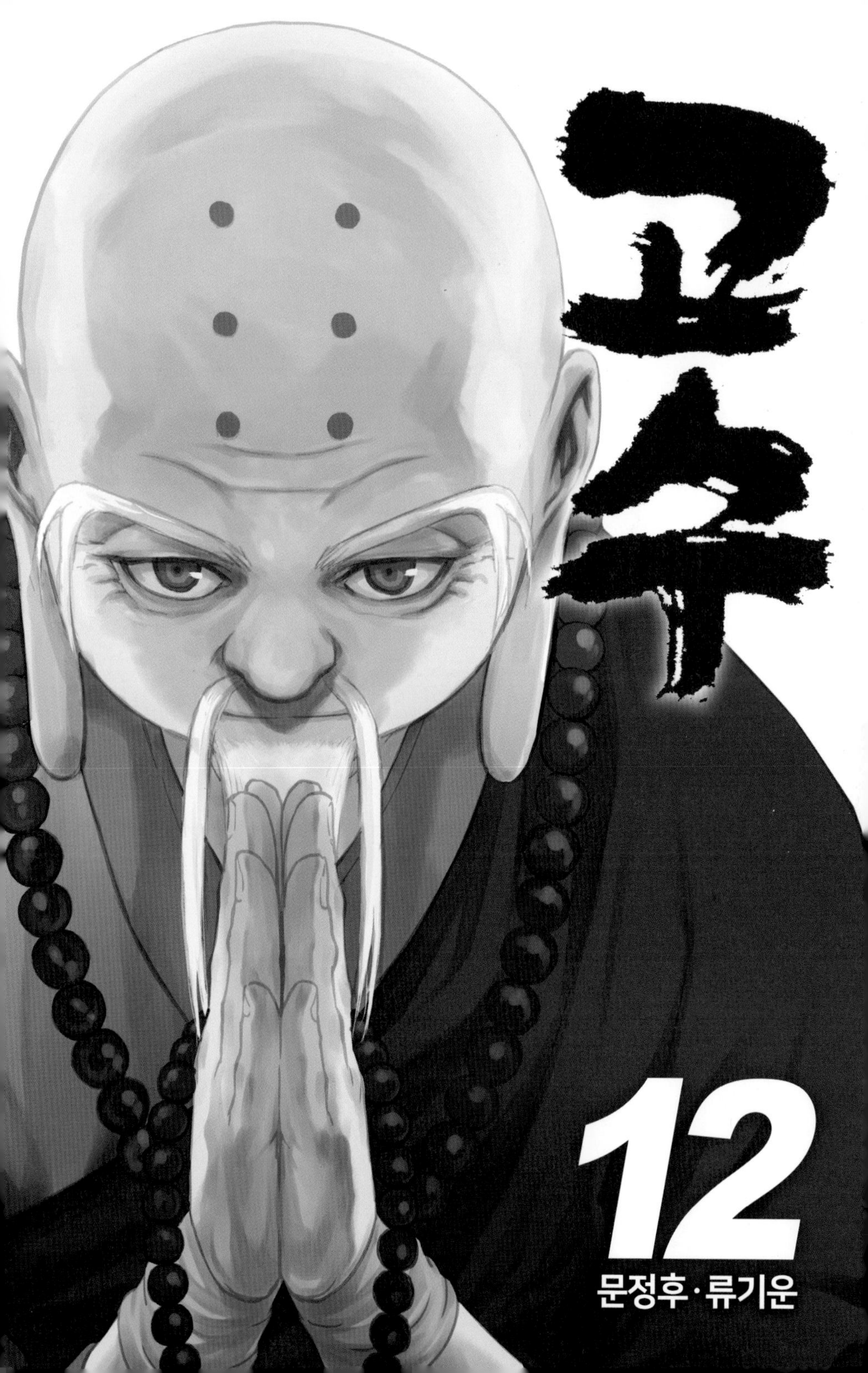
고수
12
문정후·류기운

차례

146화

…네가
나보다 빨라.

검의 빠르기만을
놓고 본다면
너보다 빠른 사람은
거의 없을 거다.
하지만
더 빠르다고 해서
반드시 더 강하다곤
할 수 없지.
그건 다른 문제야.

뭐, 이 짜식이?
형이 그렇다면
그런 줄 알 것이지.
좀 더 맞아봐야
정신 차릴래?

그러니까 그게
착각이라고,
멍청아.
내가 너보다
빨라서 피하는 게
아냐.

어깨나 팔의 움직임,
보법 등으로 공격 의도를
미리 파악해서
피하는 것뿐이라니까.

아, 그래서 지난번에
가르쳐줬잖아.
의도를 읽히지 말라고.
다가설 듯 물러서고,
물러설 듯 다가서고….
벌써 까먹었냐?
붕어도 아니고….

그걸 잘 응용하면
너보다 강한 상대를 만나더라도
한 번 정도는 기회를
잡을 수 있을 거다.
오늘은
여기까지!

뭐?

아니지.
두 번은 없어.

너보다 강한 상대라며?
그런 임기응변식 공격이
두 번이나 통할 것 같아?

기회를 잡았을 때
일격으로 끝내야 돼.
아니면….

네가
죽게 될 거야!

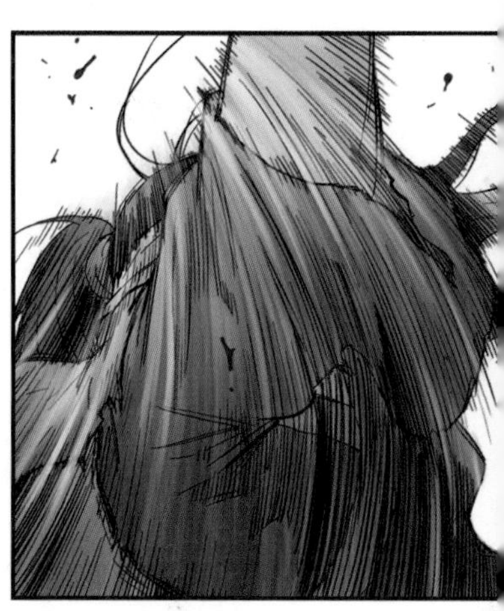

놓쳤나?
간신히
잡은 기회를….

너무
서둘렀어.
조금만 더
신중했더라면….

으드득
이…놈!

더 이상
반격의 기회는
없을 터.
끌…

콰
욱

파앙
욱!
카앙..

쩡!

으윽!
찌릿
찌릿
찌릿

카카카카캉

카가가강

치이이잉..

후웅
훙
훙..

콰아...

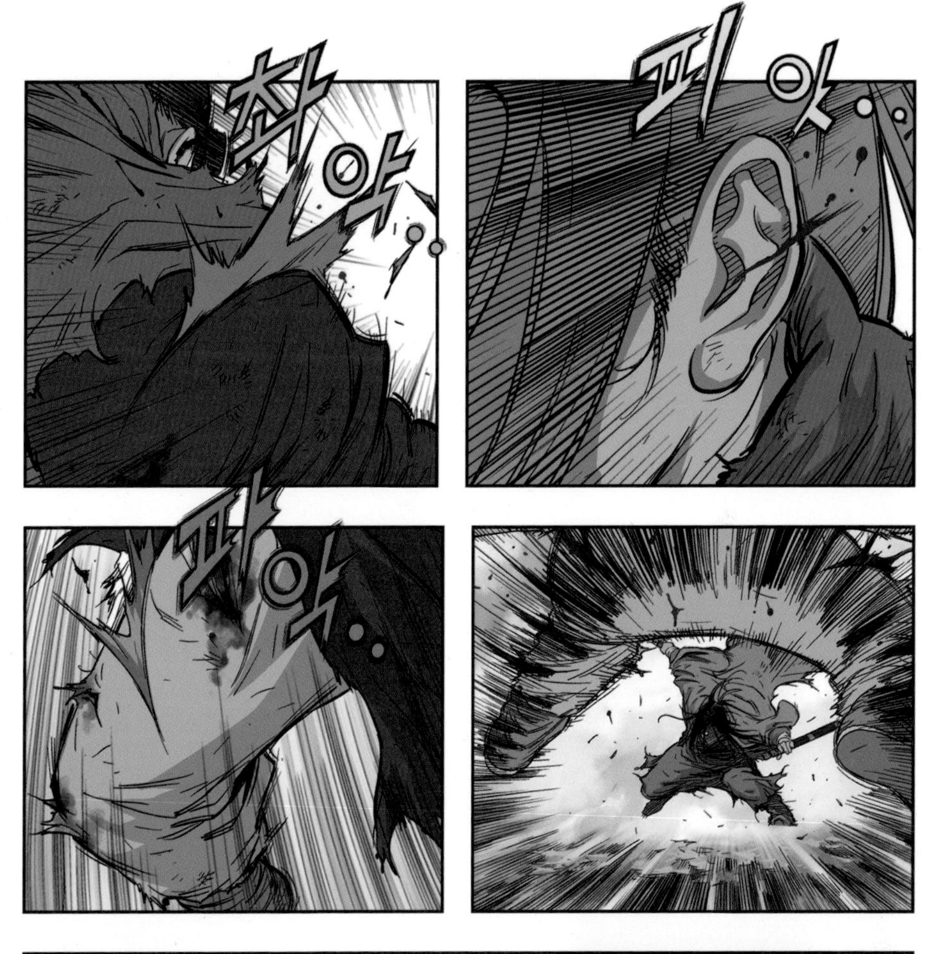

촤앗..
피잇...
파앗..

콰각
콰각
콰각
쿵..

쿨럭

사아아…

쥐새끼처럼
이리저리 잘도
피하는구나!
후우우…

헉..
헉..

어디 이것도
피해봐라!
큐웃...

봉파천검
(鳳破千劍)!!

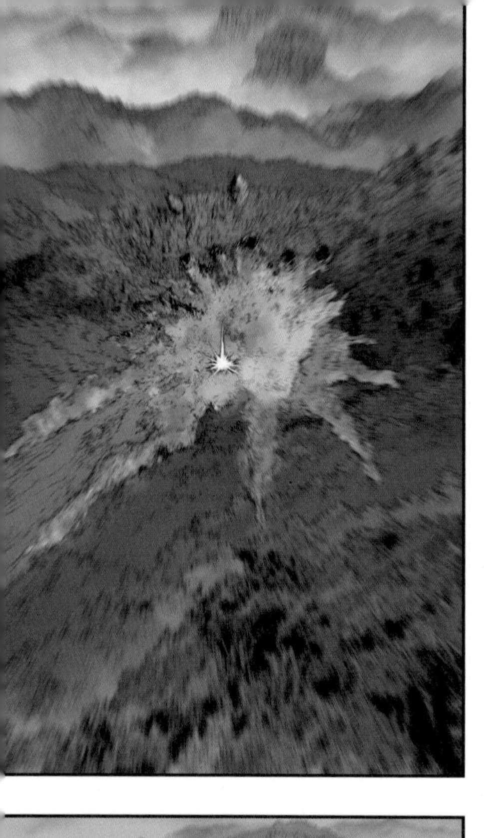

ㅋ..

콰아

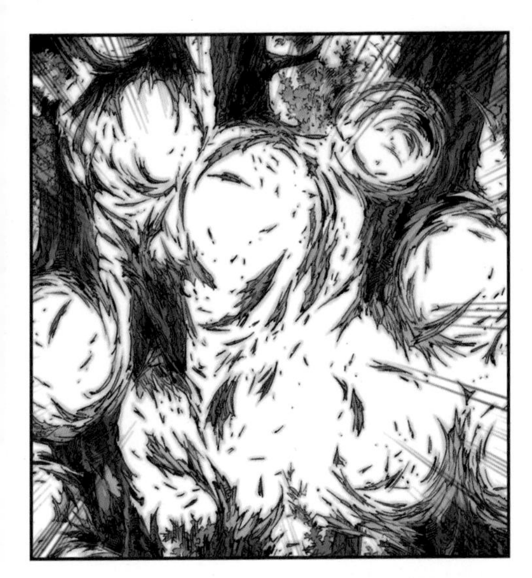

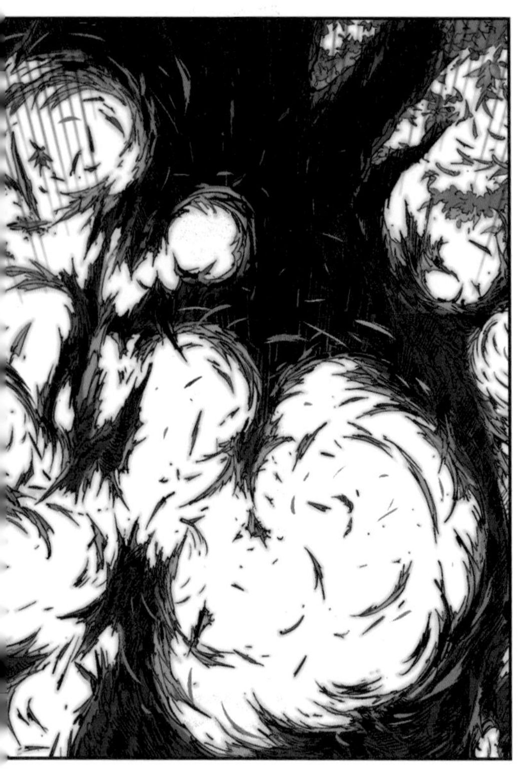

쿠쿠쿠쿠..

쿠쿵..
쿵..
쿵..

쿠우우우...

....

어떻게
된 거야?
막…은 건가,
설마…?

저 정도의 검기를
받아낼 기력은
남아 있지
않았을 텐데…?

쿨럭

쿨럭
쿨럭
쿨럭

그…랬군.

같은 검술 이었어….
나의 선광비검과 네놈의 검술….
선광천검(仙光千劍)이 봉파천검(鳳破千劍)과 같은 초식이었기에 네놈이 그토록 쉽게 깨트릴 수 있었던 거였어.
이 지경이 된 몸으로도 내가 네놈의 봉파천검을 막아낼 수 있었듯이.

…결국 선광비검이란 건
네놈의 검술을 훔쳐 만든
모조품에 불과했나.

제길…,
기분 더럽군.

…….

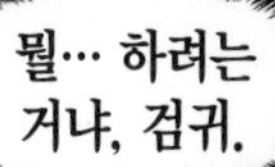
뭘… 하려는 거냐, 검귀.

설마 그 몸으로 계속 싸울 생각인가?

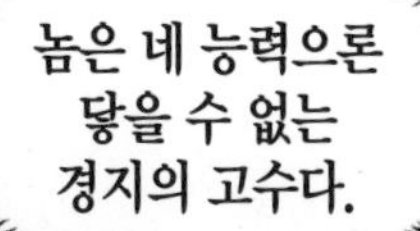
놈은 네 능력으론 닿을 수 없는 경지의 고수다.

차라리 패배를 인정하고 목숨을 살려!

…….

안… 되겠어.
후욱
후욱

더는 싸울만한 힘이 남아 있지 않아.

…….
허면….

네놈은 어때?
…명심해.

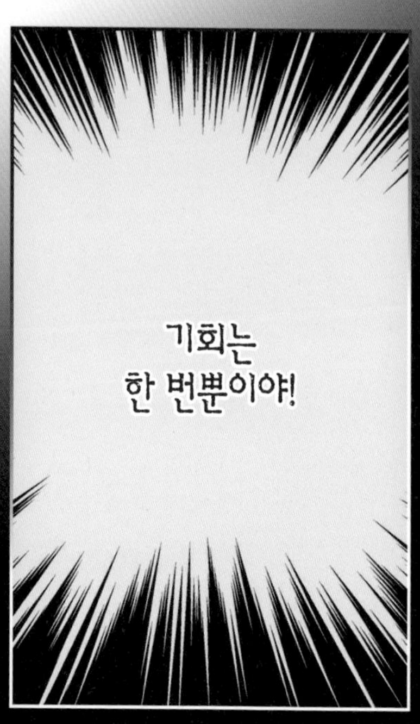
기회는
한 번뿐이야!

하지만 네가 어떻게 하느냐에 따라
그 '한 번의 기회'는 다른 사람들의
'열 번의 기회'보다 치명적일 수 있어.

네가 가진 최대 장점을
활용한다면 말이야.
무슨 뜻인지
알겠지?

자신을 가져.

너는 내가 본 사람들 중
가장 빠른 검을 가진
검사야!

…….

도대체 언제까지
움직일 생각이지?

기분 나쁘니까
죽었으면 빨리
지옥으로나
꺼져 버려!

…….

쓰레기가…

뚫…린…
입…이라…고….

이…런….
스륵..
?!
음?

크아아악

147화

쉬이이...

슈아아아...

이…럴 수가.

그 일격이
단순한 일격이
아니라
눈으로조차
따르지 못할
수많은 검격이
압축된 공격이었나.

쿨럭..

쿨럭...
쿨럭...

헉
헉
헉

죽는 것까지도
요란한 놈이군….

잇!!

휘청
윽?
쿡

크….

…….
기…,
기다….

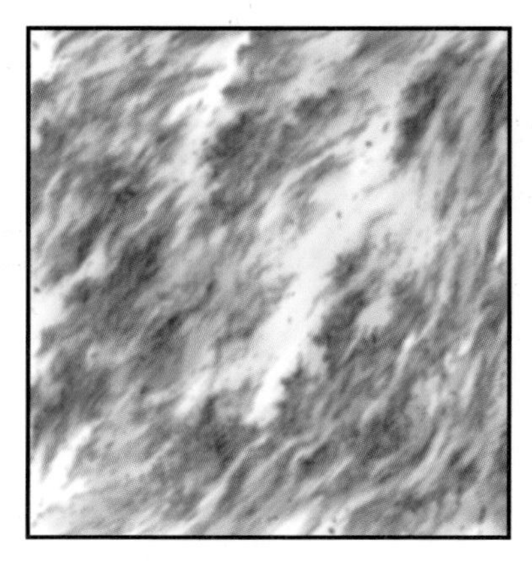

후우웅..

회절쇄격!

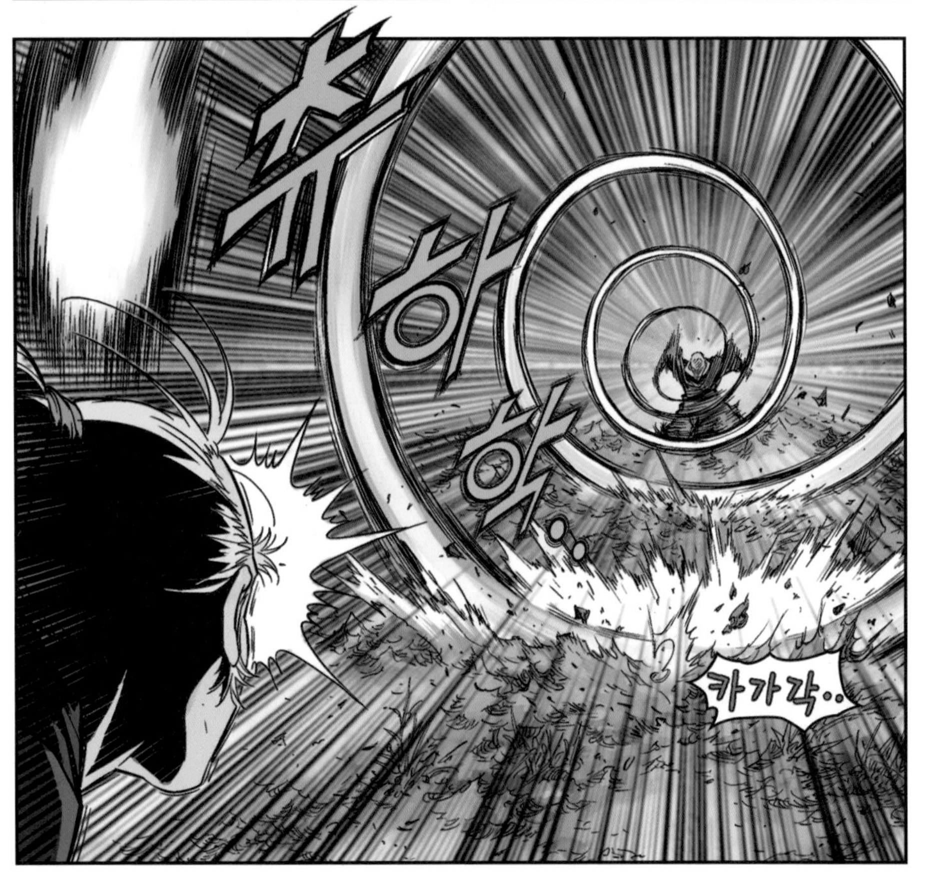
츄하핫..
카가각..

꾹.
풍진십자참!
콰
욱

쩌..

쿠..

콰
콰
콰...

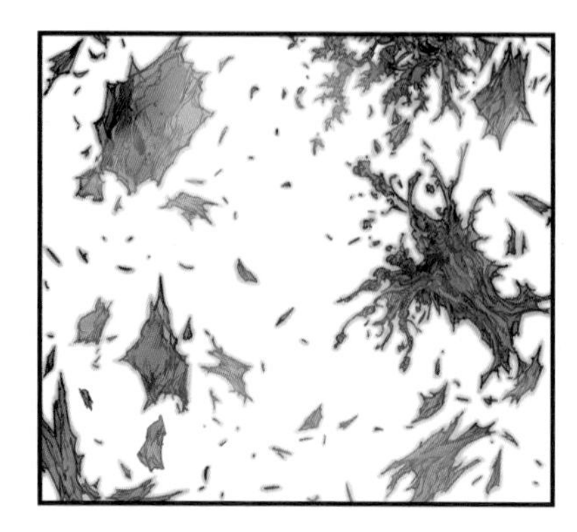

쿠 쿠 콰 콰。。
쿠쿵..
쿵.

후。우。우。。

....
쿠구구...

사이아。。

음?

키우웅...
!

처어...
쿠와앙...

차락...
차락.

차라락...

억?!
카가각
철쩡…
철쩡…

유성천뢰!

츄하핫..

쿠...

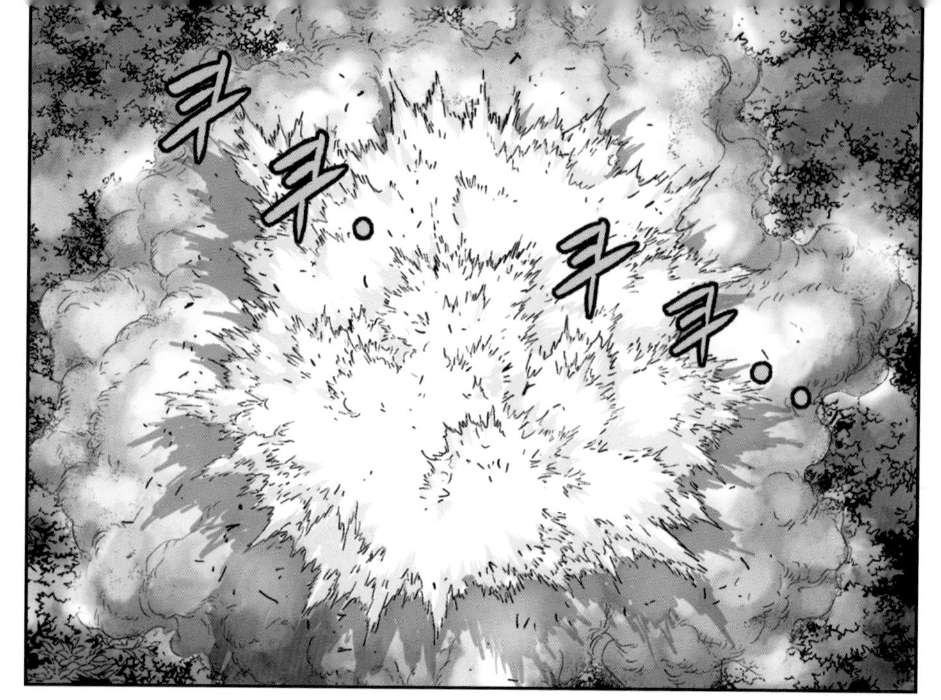
쿠쿠.
쿠쿠..

쿠.. 쿠.. 쿠.. 쿠..

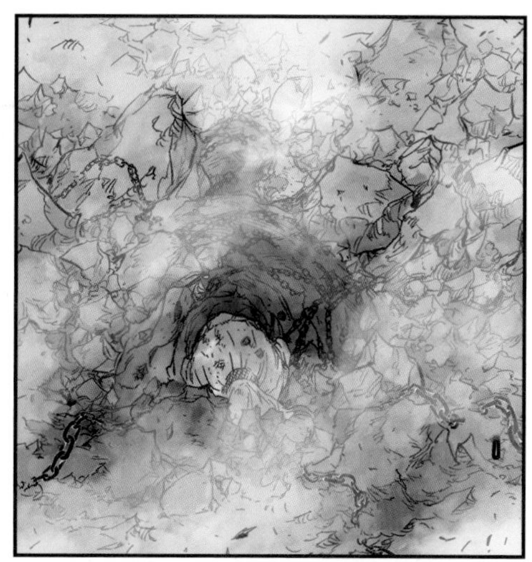

…….

발전이 없는
놈이구만.
츱..

내 무기는
두 개라고 누차….

큭!
피잉

쳇….

좀 더
가까이 왔을 때
던졌어야 했나….
헉
헉
끼긱..
끼익..

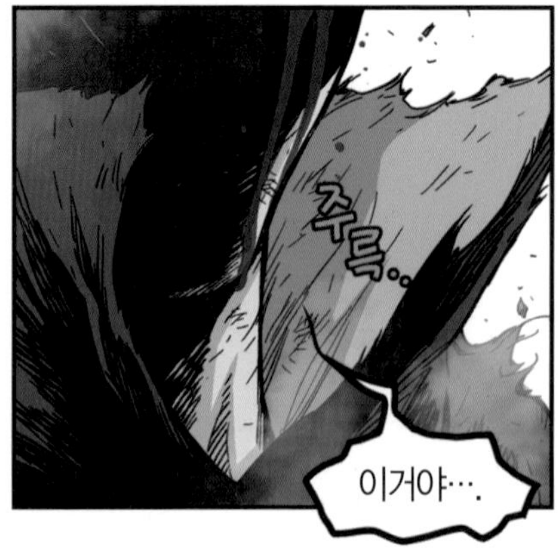

주륵..
이거야….

바퀴벌레를
상대하는 것도 아니고….
후…

드드득…
드득…

콰드득…

꽈드득…

크으윽!
끄드드득..
충..
빠
억..
큽..

빠아..

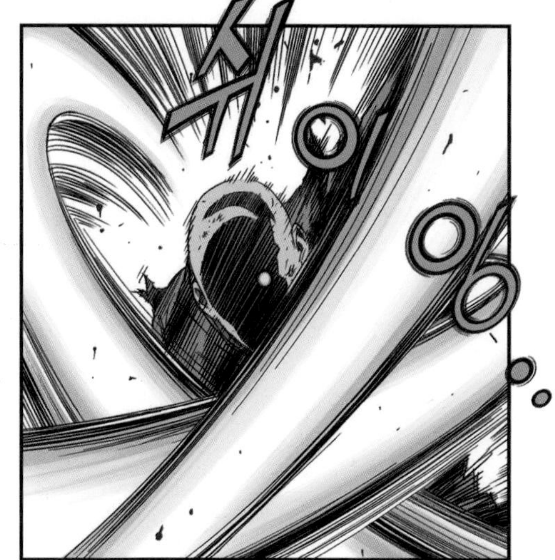
시이잉..

빠박빡

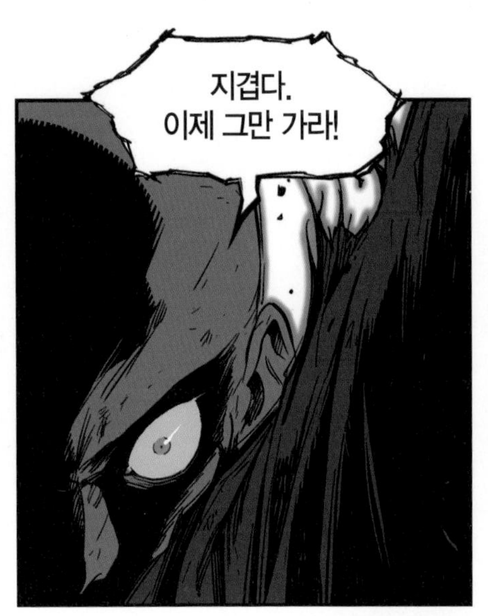
지겹다.
이제 그만 가라!

촤앙…

148화

카라

이…
바퀴벌레가.
극…

끼긱…

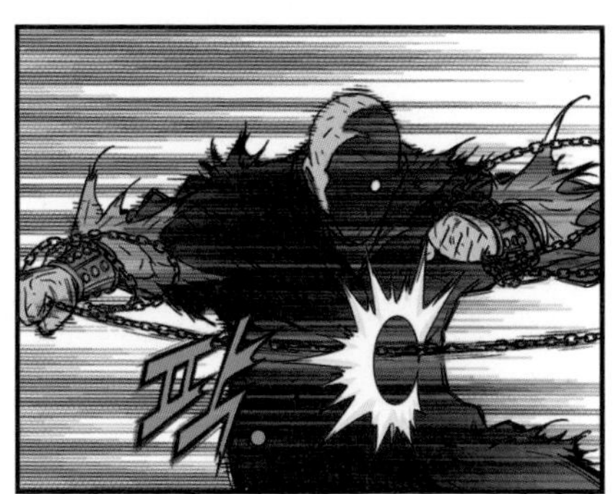
팍

카각..

촤라락...

후웅...

쾅

커..

팩…

쾅…

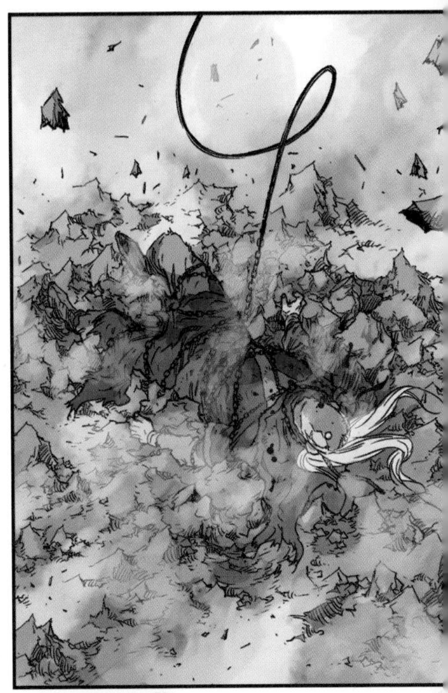

카칵..

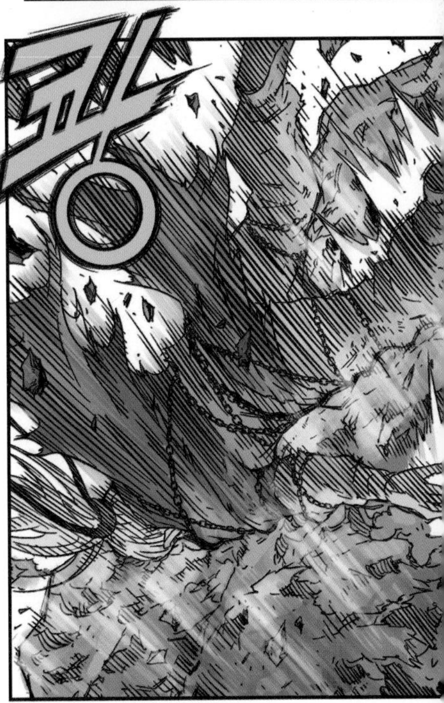

음?
차랑..

철컹..

퓨우..

그렇군….
대충 이런 요령인가….

…….
어…떻게…
살아 있을 수가 있지…?

창…보다 번거롭긴 하지만…,
쓰기에 따라… 더 효율적일 수도 있겠어….

오오오

맹호타!
흥..

빠아..

큭

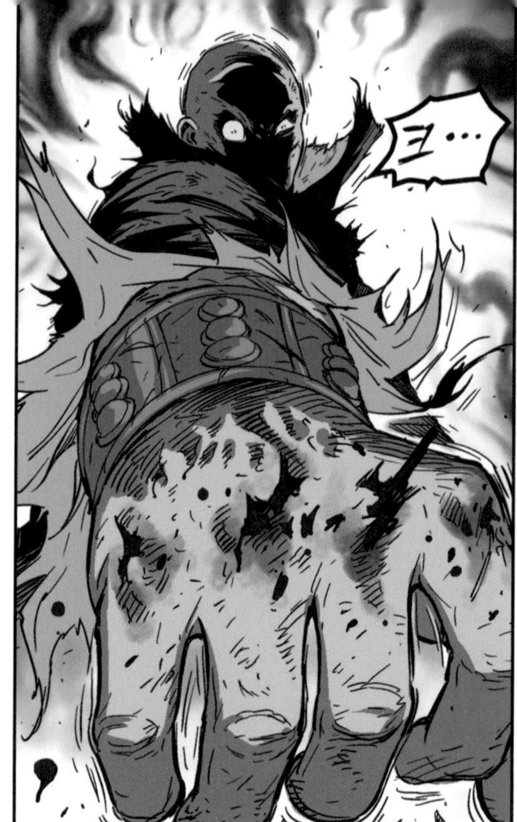

크…

드디어…

잡았다,
이 미꾸라지!
쩌엉…

빠악

쿠억…

카각…
철그럭..
큿.
잡힐 듯 잡힐 듯 빠져나가니 도무지 뭘 어떻게 해볼 수가 있어야지.
이제 제대로 한번….

퍼억.

빠아..

빡

접근전을 하면
네놈이 이길 거라
생각했나?

우우욱..

당연히
내가 이기지!

파약..

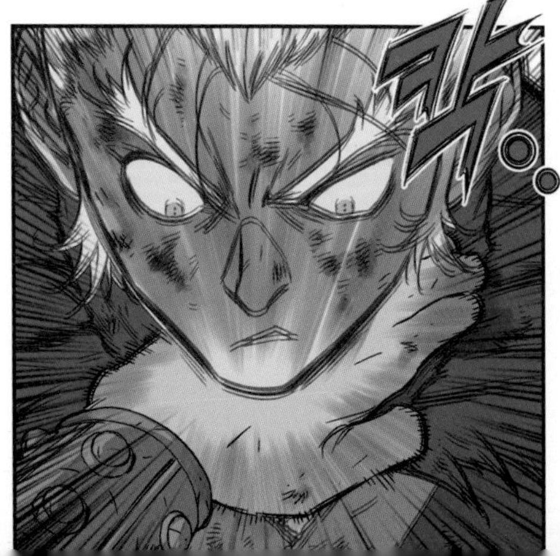
칵..

카야...

퍼억
퍽
퍽

콱..

쾅..

…….

…설마
이러고도 또
일어난다면….

푸아압

…….
쿨럭 쿨럭
퉷 퉷 퉤

ㅈㅈㅈ…

크읍…

팍

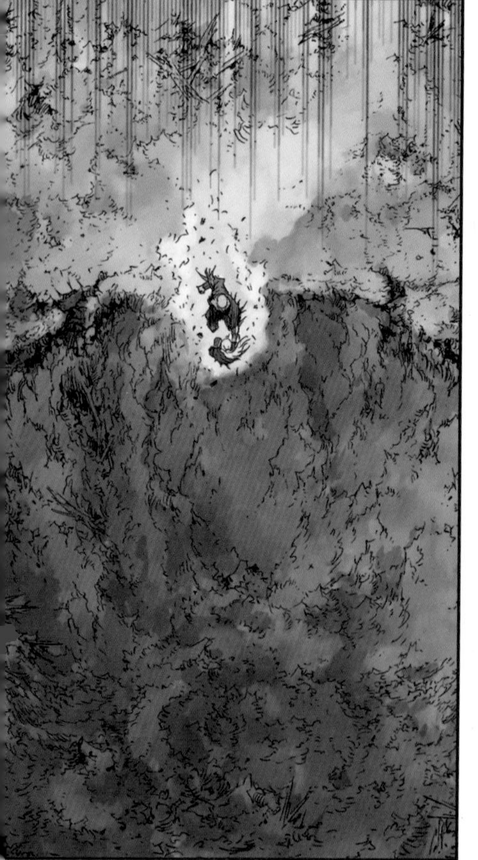

쿠당탕

도대체
뭐냐, 네놈은?!
퍼억..
퍽.
퍽..

뭐길래 뒈지지도
않느냔 말이다!
쩍
쩍
쩌억..

빡..

으...

아아아아!
퍼억..
콰직..
퍽..
퍽..

죽어,
이 괴물!
빠악..
빡..
퍼억..

뻑..

크윽!
큭…, 이익…!
퍽.. 퍽.. 퍽..
퍽..

빡..

퍼억.. 퍽..

빡..

빠억..

크극..

쾅...

쾅...

쾅..
쾅..
콰직..
쾅..
쾅..

쾅..

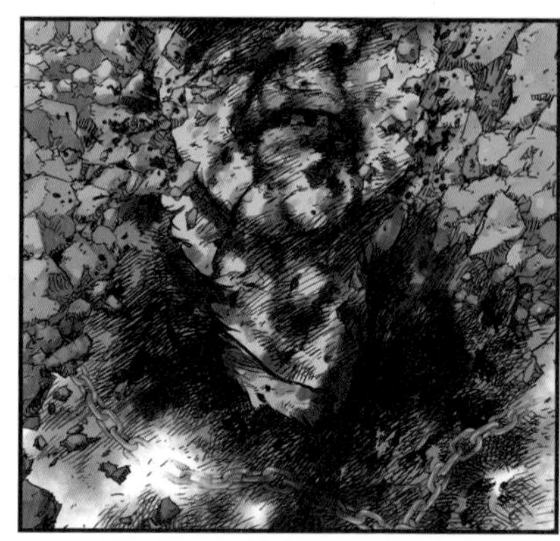

헉
헉
헉
후욱

네…놈….

육…체가
금, 강…불괴라도
되는…가.

…….
뭔…
금강불괴
씩이나….
큭..

그냥 타고난
몸뚱어리가
튼튼한 것뿐이야.
철그럭..
끄응…

환골탈태지 뭔지를
겪고 나서부터
더 튼튼해진 것
같긴 하지만….
카라락

환…골…
탈…태….

…….

쉬이이

푸
하
아
악

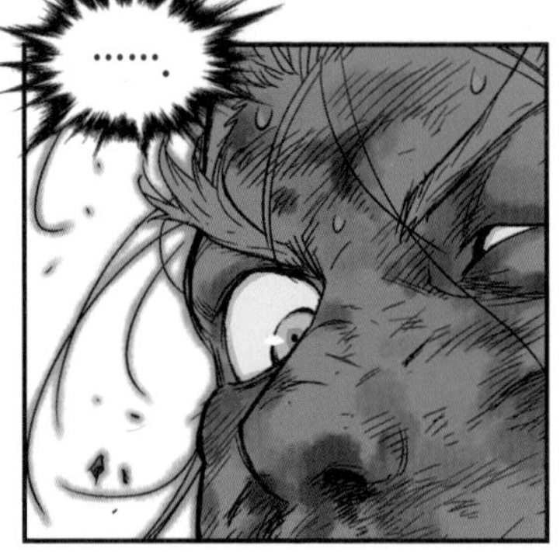
…….

으아앗!
뭐, 뭐야, 이건!

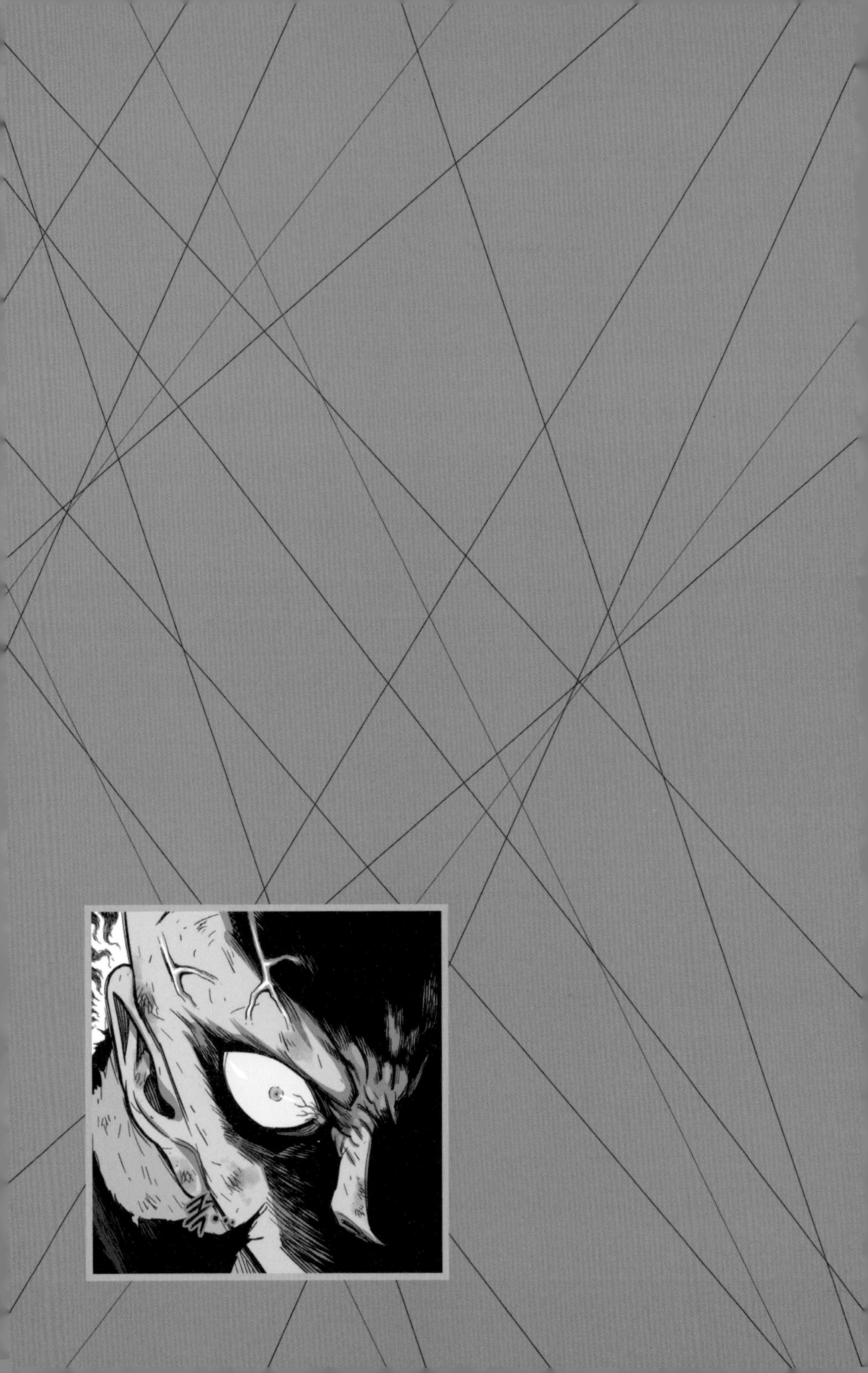

149화

마도환생의
제물?
두 분이…?

말도 안 돼….

!

타앙

아직
안 끝났다고
말했을 텐데?
얼마나 더 나를
무시할 생각이냐?

아아, 미안.
다시 일어날 거라곤
생각 못 했어.

키잉

파앗

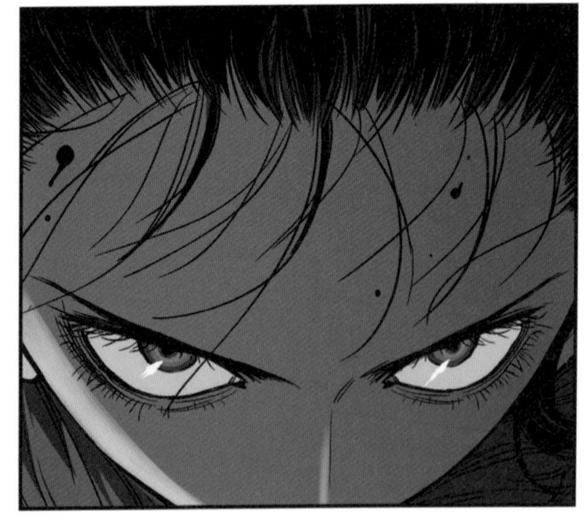

위잉..
윙..

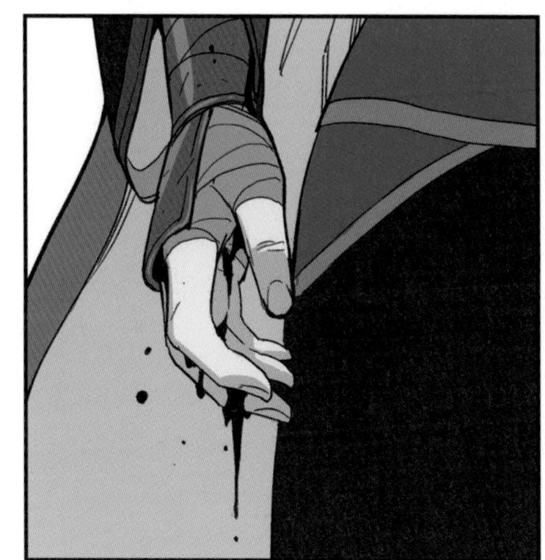

…….

아껴둔 비기는 그것뿐이야?

글쎄, 어떨까…?

흥.
파앙

쉬잉..

키이잉..

촤아악..

음?
치익

후우웅
하지만
늦었다!

가가각

키잉..

카카카캉..

푸하악..
카캉..

펄럭...

......!

사라졌어?
도대체 어디로?

쉬이잉...

후우웅..

캉앙

큭!

콰콰콱...

제,
제길…!

핑…

츄웅…

카앙

우웍!
퍼억..

처컥..

키이잉..

휘우웅..

촤라락..

흡?

푸하악

……
찌기각..
찌각..

이익…!
부드득..

크그그극…
뿌득..
뿌득..

…….
꼬…, 꼼짝을
할 수가….
헉

빌어먹을!
우아아악…

이따위 장난질로
나를 어떻게 할 수
있을 것 같나!

스스스스스…
억?

나와 승부를
내고 싶다면
당장…!
스으…

펑어엉...
크아아아...

…끝까지
상대가 패배를 인정하지 않을 경우 죽어야만 승부가 끝난다….
라고 들었는데, 맞지?

자신의 패배를 인정하지 않다니.

쉬·이·이…

푸아아아…

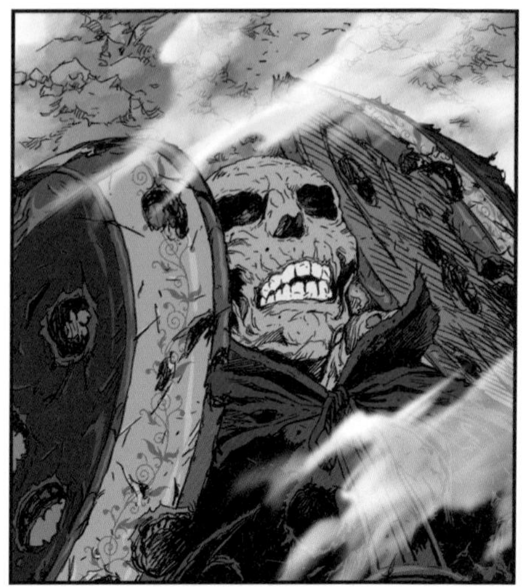

……,

이것이…
제령왕 환사의
사술을 받아들인 자의
말로인가.
끔찍하군.

허깨비.

…라고 하기엔
너무 생생하군.
어떻게 이런.

킥

150화

많이 늙었군,
다들….

나이를 먹으니
성격도 바뀐 건가.
나를 보고도 그렇듯
얌전히 서 있을 줄은
예상 못 했는데?

무슨 생각들을
하는 건지….
후..

피차 대화 따위로
회포를 풀 사이는
아니지만,
가벼운
인사말 정도도
없는 건가?

이거
원….

치잉..

텅...

!
투하악

흡!
쩌어...

크억!

콰콰콱

쿠..우..우..우..
콰르르..

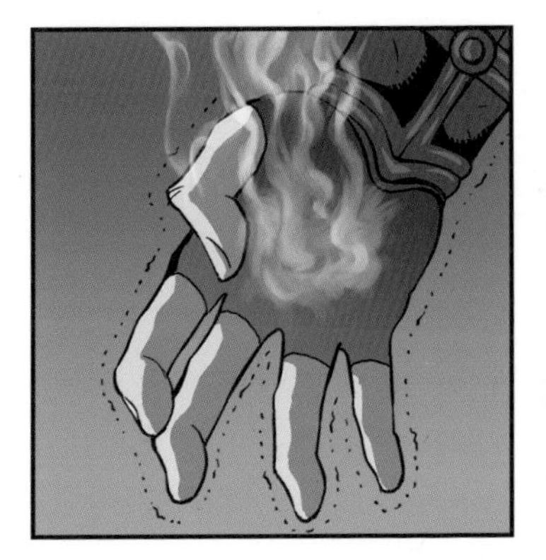

살아 있냐?
……

그러게 왜 쓸데없이 나대고 그래. 무공도 약한 놈이….
나대긴 누가 나대! 네놈 작대기질이 튕겨서 나한테 온 거잖아, 이 우라질 놈아—!

후·우·우·우…

아아…,
그렇군….

…그… 오랜…
…시간…
…를 지탱하게…….
…이…것…
이었어….

스
오
오
오

후.우.우.우.

대화 같은 건
필요 없지.
그래,
맞아….

자아…, 그럼
어떻게 할까.
지금 이 자리에서
미뤄둔 싸움을
마무리 짓겠나?

물론 그렇게
해야겠지.
허먼 너희는 어떠냐?
내가 굳이 죽이지 않고
놓아준 보람이 있을 만큼
무공의 증진을 이루었는가?

훗….

잠깐!
퍽…
억?

내 일은 끝났다.
네놈은 나를 무사히
밖으로 내보내준다는 약속을
즉시 지켜줘야겠어!
아?
콰콱

쯧
헛소리하지 말고
다치기 싫으면
한쪽 구석에나
처박혀 있어!
스윽…

이 쉑…,
처음부터 사기 칠
생각이었군, 그렇지?
선택해라. 지금 당장
약속을 이행하든지
내 손에 개죽음당하든지!
이…
중놈 XX가
선을 넘는구만,
오늘….
크흐흐…

에익
푹
으악

…….
…….

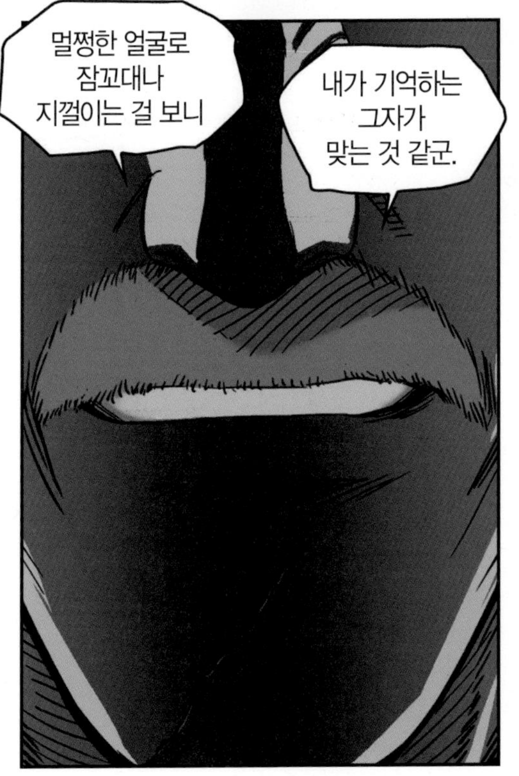
멀쩡한 얼굴로 잠꼬대나 지껄이는 걸 보니
내가 기억하는 그자가 맞는 것 같군.

헌데 정작 네놈은….

이런 두더지 굴
같은 곳에서 지금까지
뭘 하고 있었던 거냐?

제 손으로
목숨을 끊지 못해
우리가 올 때까지
기다린 건 아닌가?

후….

크크크크크크

절반은
맞혔다고 해주지.
후우…

파앙…

드 드 드 드

쿠 쿠 쿠

쿠 쿠 쿠 쿠

쩌어..

쩌.
저.
저.
적.

쿠
쿠
쿠
쿠
쿠

오싹
오싹
흐..
오싹
과연….

천잔왕
구휘로다.
그토록 오랜
세월이 지났건만,
투기만큼은 조금도
쇠하지 않았어!

즐겁구나,
구휘여….

그날 못다 한 싸움을
이제야 다시 이어갈
수 있게 됐으니…!
스으으…

키우웅…

쿠

크..

쿠
읏!
으앗!

구우웅...

...?

저긴 천곡산이
있는 방향인데
어째서 할아버지의
기가 저쪽에서
느껴지는 거지?

…….

…결국 마도환생이니
뭐니 했던 건
나를 흔들기 위한
거짓말이었군.

팡…

후웅…

펄럭

그럼 혈비란 자는
처음부터 줄곧 천곡산에
있었던 모양인데….

할아버지들이
천곡산으로 가신 거라면
이미 상황이 끝났을지도
모르겠네….

헉..
헉..

쿠..

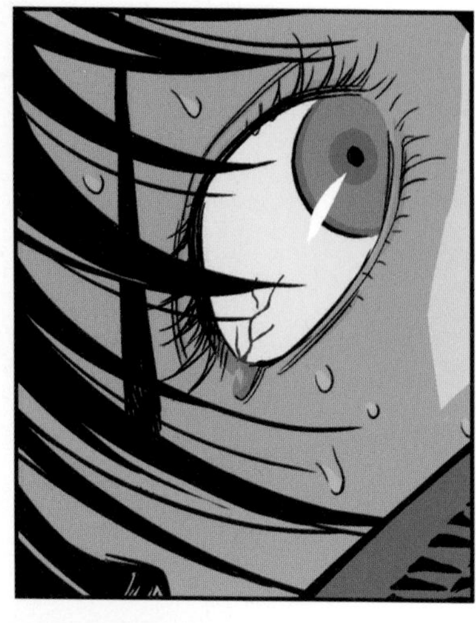

쿠
쿠
쿠
쿠

쿠오오오

콰콰콰콰

슈아아아..

......!

쿠쿠쿠쿠

쿠. 쿠. 쿠.

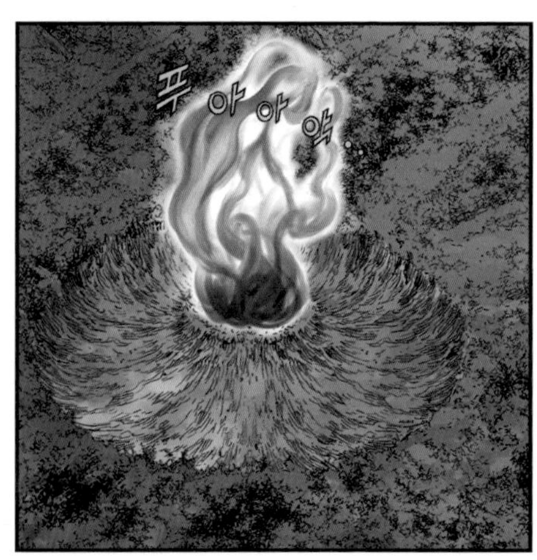
푸아아앙..

투투투투

슈우우우...

후·우·우우…

……
이…럴 수가….
쉬·이·이·이
주체할 수 없을 정도로 기가 솟구친다.
이것이 저자의 몇 할 공력인진 모르지만,
적어도 인간이라면 이 힘으로 쓰러트리지 못할 리가 없다!
꾸드드득
기공을 흡수한 것만으로 이런 힘이라니….

마지막으로

다시 한번
제안드리지.
이쪽의
패배를 인정하고
싸움을 끝내겠다면
지금이라도 조용히
물러가겠소.

거짓말이
서투르군, 자네….

…….

호오….
불과 두 차례의 경험만으로 그 기를 다스릴 수 있게 됐단 말이지….

만약 내가 그 제안을
받아들인다면
만족할 수 있겠나?

오히려
실망할 테지,
안 그래?
지금 막
손에 넣은 그 힘을
시험해보고 싶지
않은가?

부정할 필요 없다.
오너라.
네 힘의 크기가
어느 정도인지
마음껏 시험해보아라!

쿠
우
우
우

기억해
두시오.
쿠
우
부득
부득
부득

제안을 거절한 건
당신 쪽이오!
파
앙

카가각…

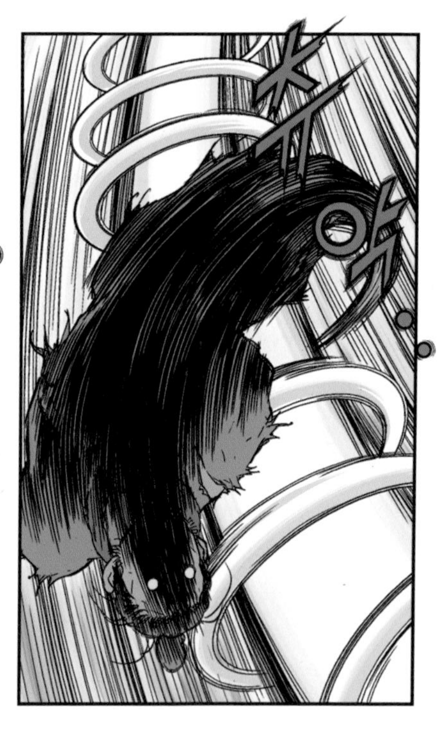

칵

콰
콰
콱..

빠아..

쿠웃...
음풍혈뢰장!
!

크크크크...
쿠콩
콩.

쿠. 우.. 우...

…….
뭐…야….

분명
무방비 상태
였을 텐데
어째서
쓰러지지
않은 거지?
흠….

내 말이 알아듣기
어려웠나?

피차 탐색전 따위로
시간 끌 것 없이
전력으로 부딪쳐
오라는 뜻이었거늘….

파악..

내 최대 공력의
음풍혈뢰장을
맨몸으로 받고도
멀쩡하다니….

이건 또
무슨….
투둑..

설마 지금 그 공격이
전력을 다한 공격
이었던 건가?

빠아

!

크……!

빠억

쿠콰콱……

쿠콩..
콩.

…….

이거
실망시키는군.
고작
그 정도로 끝난 건
아니겠지?

…아니면
일어날 생각이
없는 건가…?

그렇다면….

크윽…!
투둑..

네놈의 상대는 이쪽이다!

쩌적…

콰콱…

분명
부러졌을
팔이…?

대단한
회복력인걸.
흡성대법이란
무공의
특징인가…?

잘됐군.
허면 이번엔
시잇..

그 대단한 회복력으로
내 공격을 어느 정도나
버텨낼 수 있을지
한번 보기로 할까….
훅.
후웃.

쿠..

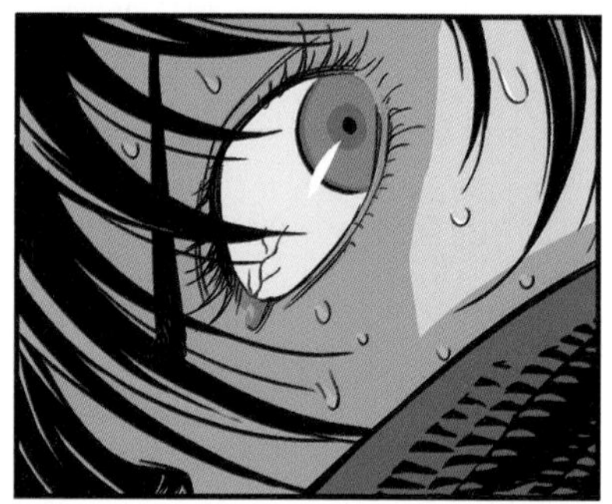

즈걱

ㄲ….

털썩

…….

결국…
강룡
그 애송이보다
나을 것도 없는
놈이로군.

흐흥….
내게서
달아날 수
있을 것 같으냐.

아…직…
안… 끝났소….
쿨럭..
이…

쓰레기가…!

텁..

콰악..
!

오오오오..

콰아아아..

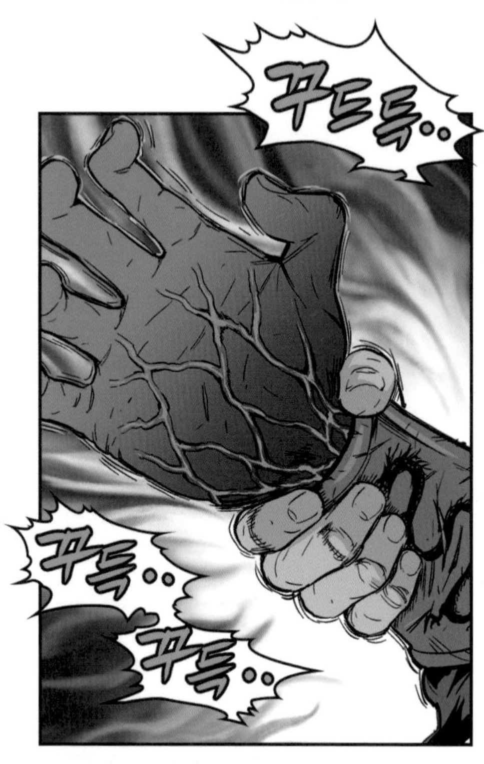
꾸드득..
꾸득..
꾸득..

슈아아아
꾸득..
꾸득..
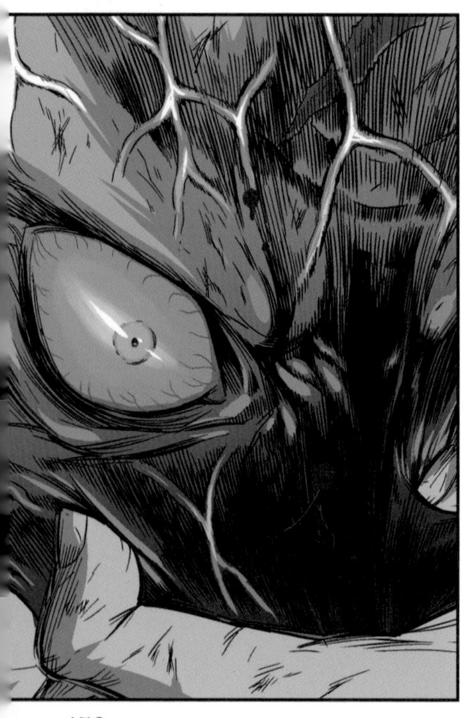

151화

크아아아

크윽...
큭

꾸드득
꾸득
꾸득

흑.
후욱.

꾸드득
꾸득

우득..
억?
우득..
우득..

쿠웅..

우읍..

쿠아악..!
콰콰
콰콰

크윽..
헉.
헉.

끌…,
거듭 실망
시키는군.

이번엔
제어조차
못하는 건가?
!

이럴 수가….
기를 모조리
빨리고도
살아 있다고?

쉬.이.이…
모조리?
콱

네놈이 감당할 수
있는 만큼이겠지.
스스스스
그나마도
감당이 안 되는
것 같다만….

…….

빼억..

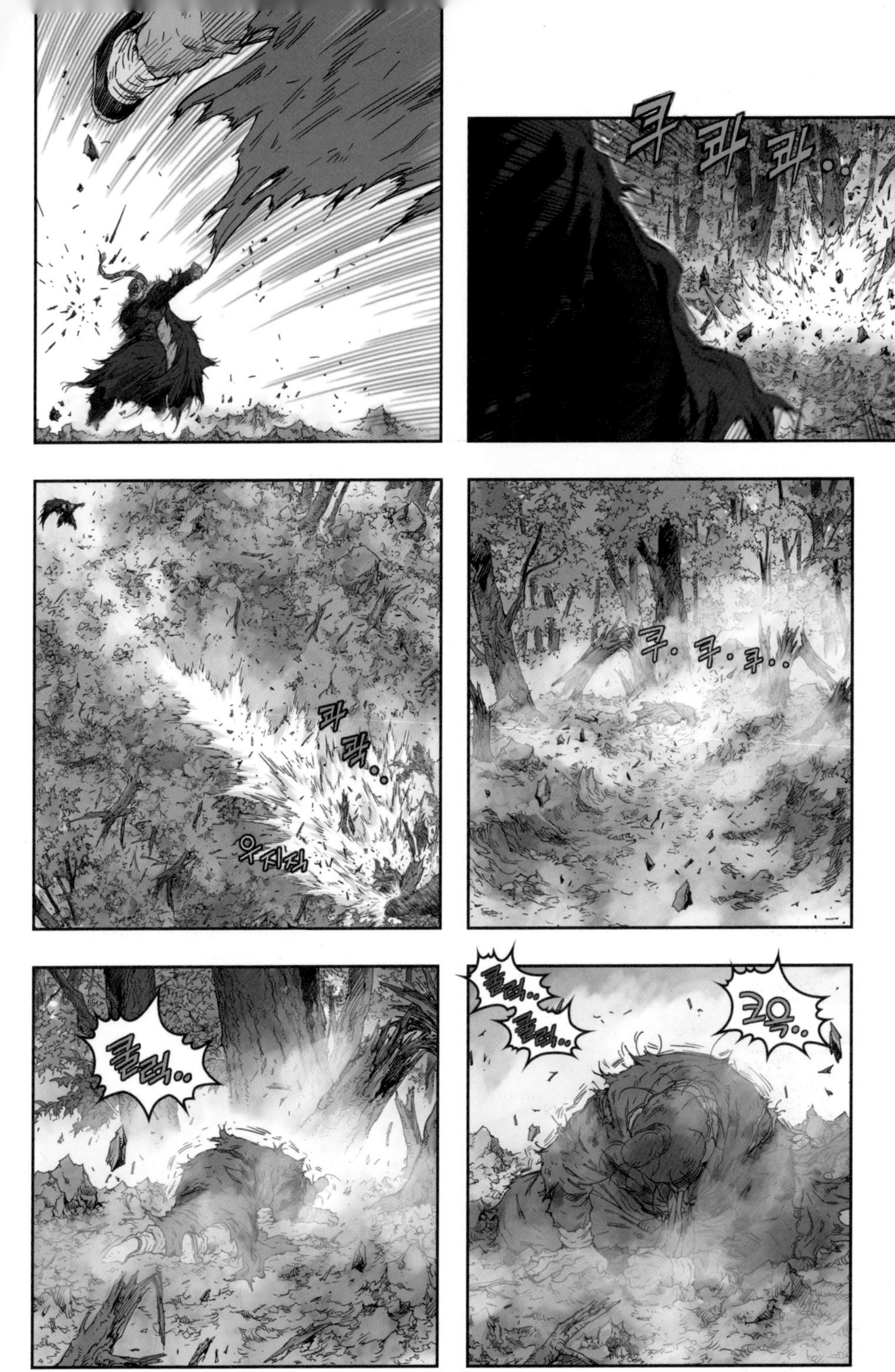
쿠콰콰..
콰콰..
우지직
쿠. 쿠. 쿠..
콜럭..
콜럭..
콜럭..
크윽..

헉억..
헉억..

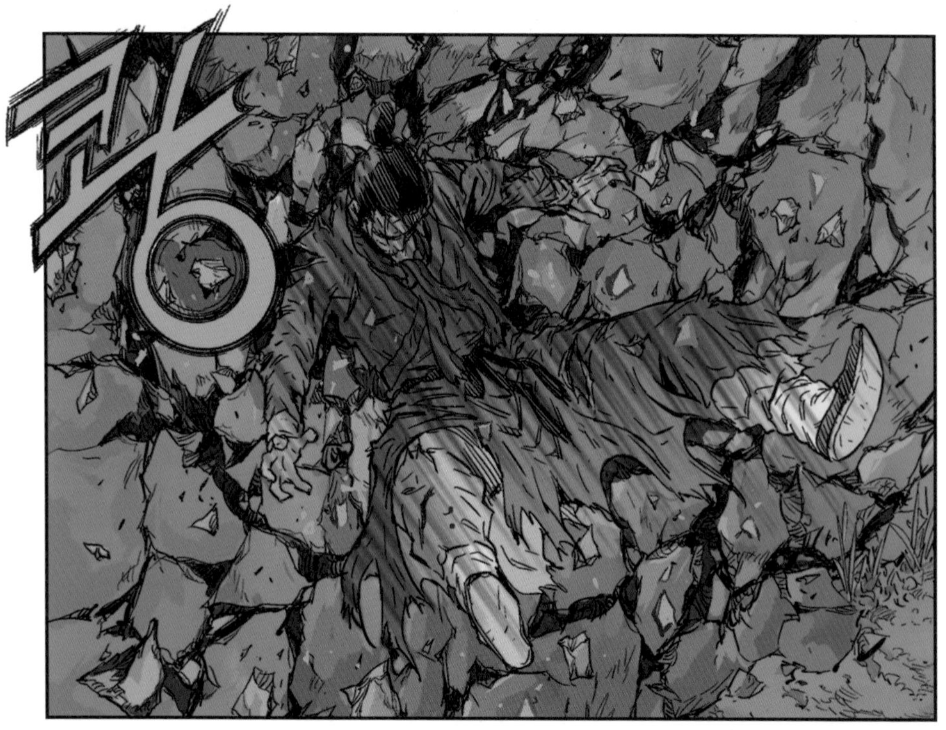
쾅

쿠쿠쿠..

흡성대법이라….
상대하기 까다로운 무공인 건 인정한다만, 네놈이 주제도 모르고 너무 날뛰었다….

콰드득..

아…직이오….

아직….
투둑...

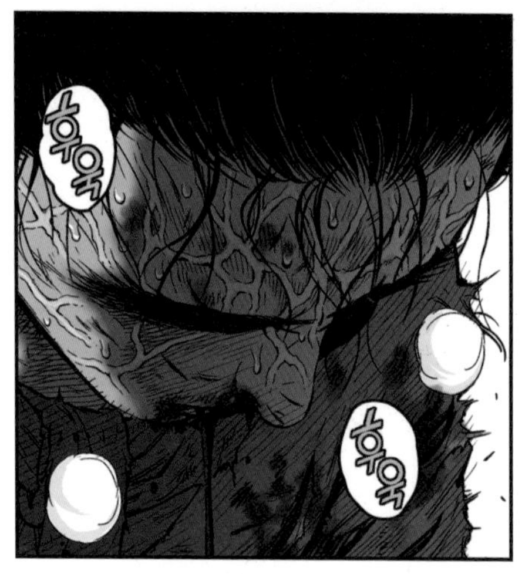
후욱
후욱

우득
우득

…….

마공의 독기를
다스릴 수단이 없다면
그냥 두어도 곧
주화입마에 들게 될 터.

허나….
꾸드득

벌레를 죽일 땐
확실히 숨통을
끊어야 하는 법!
큐웃…

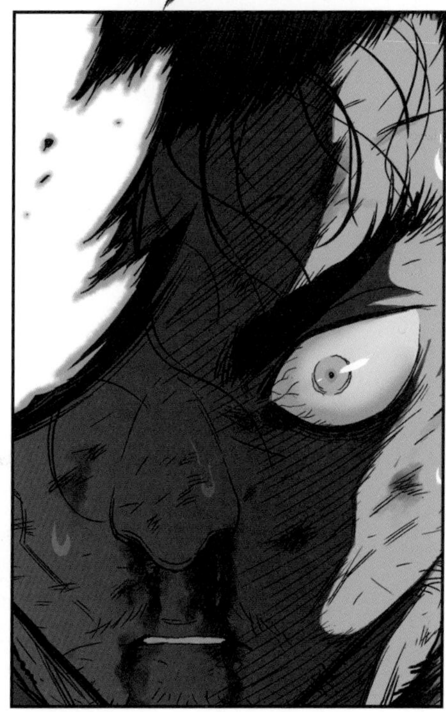

퍼억..

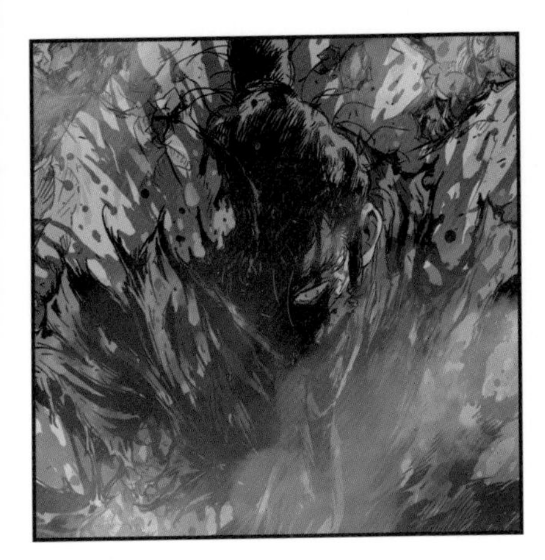

무슨 일이냐?

천뢰성 황저
무존께 보고
드립니다.

신선림의 은자들이
천곡성 내에 들어와 있으니
속히 복귀하시라는
제령왕의 전언입니다!

신선림 늙은이들이
천곡성에?

틀림없는
사실이냐.

저희가 직접
목격한 것은 아니나
제령왕께서 그리 전하라
하셨습니다.

…….

이… 능구렁이들,
처음부터 나와
싸울 생각이
없었구나.
강룡이란 놈이
이곳에 나타난 것도
역시 그 늙은이들이
꾸민 일이었나.

아울러….

만약 무존께서 처리해야
할 일이 남아 있다면
속하들이 대신 맡으라는
말씀도 하셨습니다.
!

이것 봐라….
마치 여기서
벌어진 일쯤은
알고 있다는 투로군.

기분 나쁜 놈.
뿌득..
오냐, 어차피
네놈에게도
따져봐야 할
일이 있으니….

본좌와의
싸움에서 부상당한
강룡이란 놈을
빼돌린 무리가 있다.
!

놈들을 추적해
전원 척살하고, 강룡과…
놈이 소유하고 있는
교룡갑을 회수하도록!

존명!

훅..

강룡이란 놈이
교룡갑을…?
……

문주님을 상대로
부상만 입고
달아날 수 있었던 건
아마 그 때문일 테지.

신선림 늙은이들은
내가 처리하고 싶었는데
아쉬운걸….

또
그 소린가.
어쨌든 문주님이 가셨으니
그 문제는 접어두고
지시받은 일이나 해결하자고.

츄핫..

차아앗..
!!

카
카
카
캉

여자?

그럼
저희 먼저
갈게요, 언니.
그렇군….
너희가 강룡이란 놈을
빼돌린 무리구나.
의외로 일이
쉽게 풀리는구만.
후..

그래….
그런 네놈들은
그 망할 늙다리의
졸개들이겠구나.

따라와.
지옥을 보여줄게.

152화

천곡산?
파천문인지 뭔지가
있다는 곳 아니냐!
용이가
거기 있는지
네가 어떻게 알아?
알아요!

틀림없이 그 근처
어딘가에 있을 거예요.
가면 찾을 수 있어요.
…….
…….

그, 그래. 네 말이
맞는다 치더라도
천곡산까지 거리가
얼만데 너 혼자….
펄럭

!

새벽잠이 없어서 산책 나온 길에 차나 한잔할까 하고 들렀는데,
아직 영업을 시작한 것 같진 않네요….
호호..

예에….

실례했어요. 그럼….
아, 저….
차는 드릴 수 있어요. 앉으세요.

…정 그렇다면 이 애미가 같이 갈 테니까 날이 좀 더 밝거든 가자꾸나.

아뇨, 위험해서 안 돼요. 엄만 그냥 여기 계세요.
뭐라?

그럼 그 위험한 곳에 너 혼자 보내놓고 이 어미 맘은 편할 거라 생각하는 게냐?
하여간 엄만 안 돼요.

내가 데려다줄까요?

천곡산….

여기서 지내기
따분하기도 하고 해서
나도 슬슬
거기로 가볼까
하던 중인데….

어때요?

아…,
그…러실
것까진….

운송료는
싸게 해줄게요.
만두
2인분 정도…?
…….

깼나?
으음….

......!

벌떡...

그 영감을
찾는 거라면….

이 근처엔 없어.
떠난 지 한참 됐거든.

…….

이봐….
뭔가 이상한 거
못 느끼겠나?

소진됐던 내력이
회복되고, 온몸의 수많은
상처들이 웬만큼 치료가
돼 있다는 사실 말이야….

내 생각엔 자네가
잠들어 있을 때,
의술에 통달한
기인께서 나타나
가문의 비약인
내환단을 먹이고
약초즙 등으로 외상을
치료한 게 아닐까….
그래서

치료해줘서
고맙다는 말이라도
듣고 싶은가 본데.

에이~!
됐어, 됐어.
우리 사이에 뭔….
도대체 언제까지
내 옆에 붙어 다닐
생각이지?

아?
따라오는 건
당신 자유지만,

계속 주변에서
얼쩡대다 걸리적
거리기라도 하면
그 즉시
베어버린다.

…….

저놈의
싸가지….

괘씸해서라도
끝까지 따라가서
얼쩡거려주고 싶지만,

아무리 나라고 해도
천곡산까지 들어가는 건
좀 켕긴단 말씀이야….

피유웃웃...

우두둑..

뚜둑..
뚝.

어, 그러고 보니
싸우기 전에 이 근처에
있던 그 작자들
다 어디 갔지?
결과 보고하러
천곡산으로
돌아갔나?

뭐…,
가보면 알겠지.

큐
웃..

카
각..

콰르르르..
!

제법
빠른데?
휘오...

그래,
따라와 봐!

!
뭐야, 그게?
왕언니랑 뚠뚠이 구해준 사람 데리러 간다더니….
이게 그 사람이야!
뭐?
그럼 흑란 언니는?
지금 오고 있어!
그 영감 졸개들 유인하느라 좀 돌아서 오고 있긴 한데 금방 도착할 거야.
……!

콰콰쾅..
쿠쿵..
쿵..

크ㄱ…

흥.

!

인상적인 경신술이었소, 소저. 칭찬해드리지.
후..

이제 술래잡기는 이쯤 해두고,
더 늦기 전에 강룡이란 놈이 어디 있는지 알려주지 않겠나?

더 늦기 전…?

놈의 소재를 알려주면
살려주겠다 약속하고 싶지만,
문주님의 엄명 때문에
그럴 수가 없소.
대신 고통 없이
보내준다고
약속하지.
저벅

하지만 저 뒤에
오고 있는 저 친구는
나와 생각이 다를 거요.
댁 때문에
화가 많이
나 있거든.

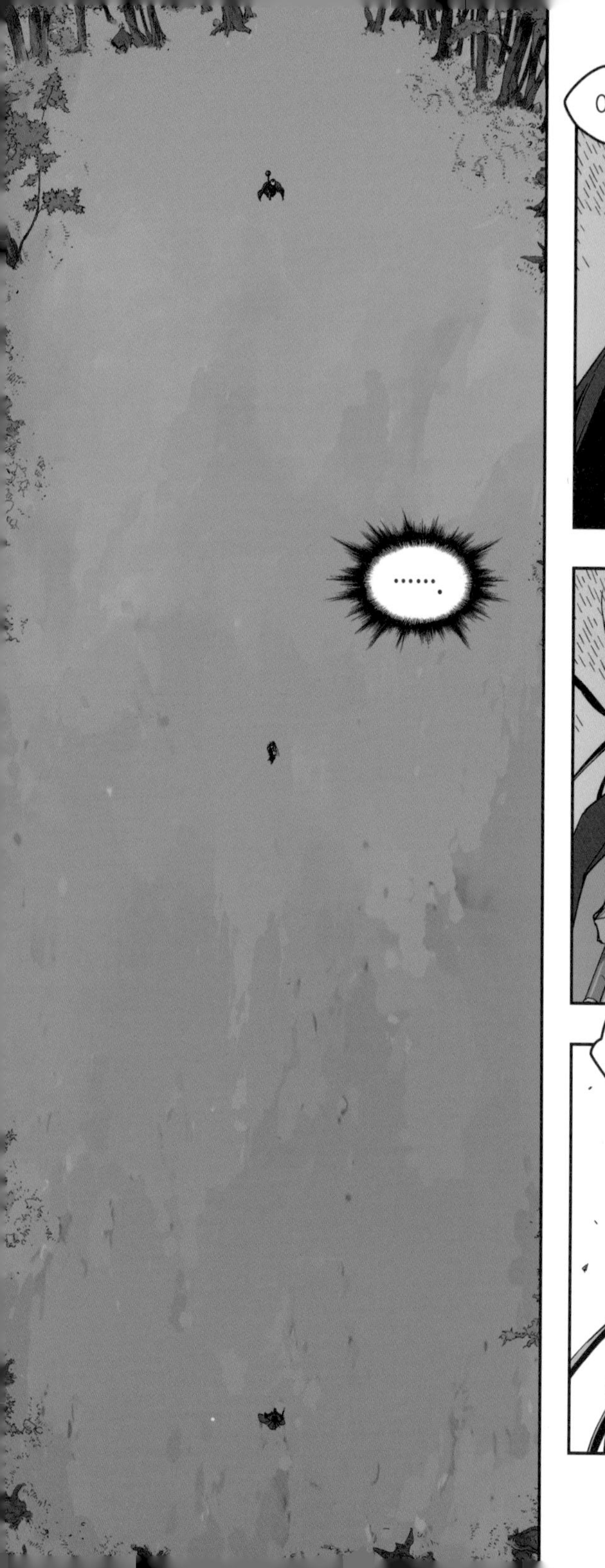
…….

어떻게 하시겠소?

…….
이렇다니까….

소위 무공 익혔다는 군상들은 자기들이 당한다는 생각은 죽어도 안 하지.

153화

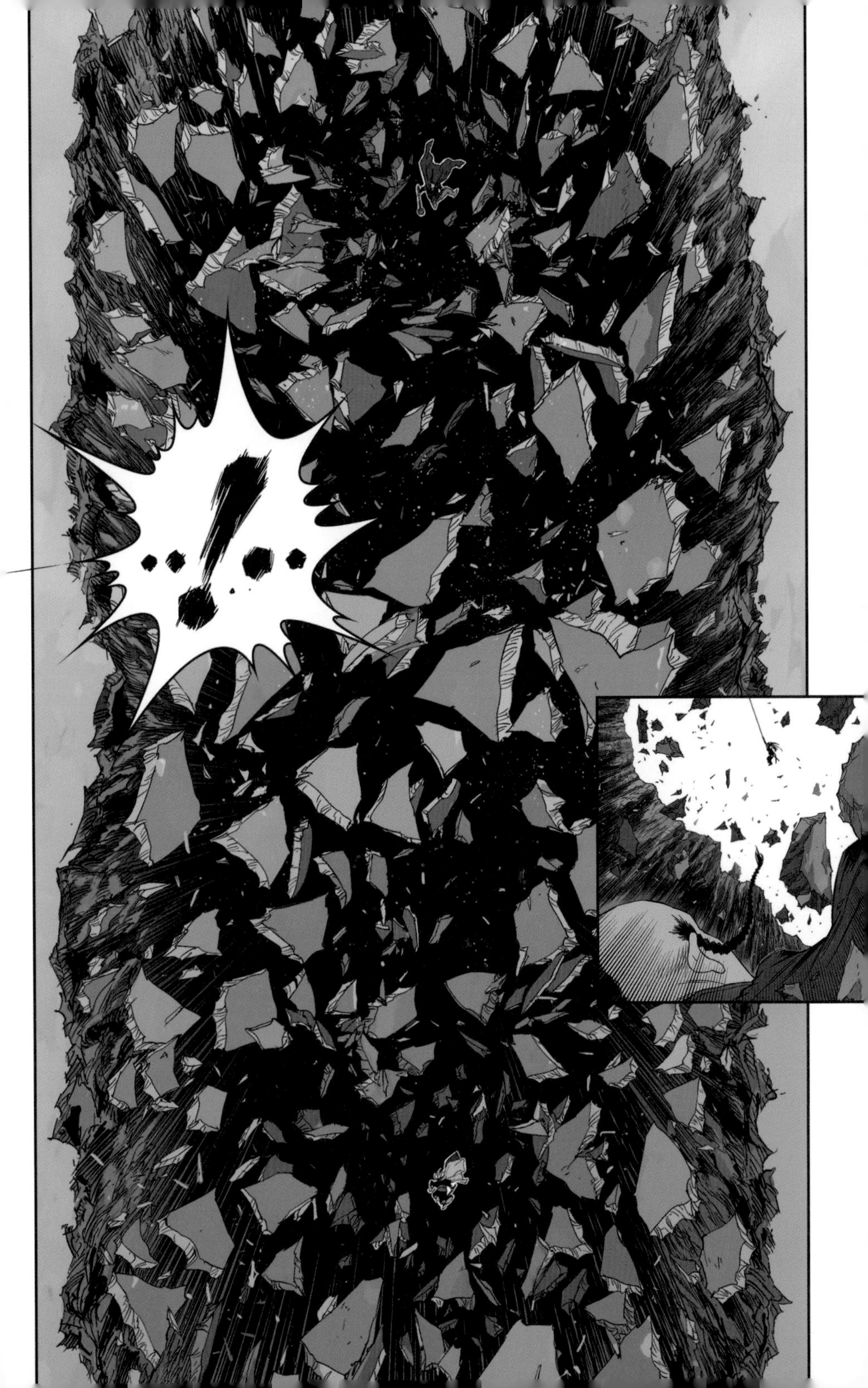

쿠쿠쿠쿠.

황저―!

칵!

바닥 쪽
주의!

카가각..

걸렸어!

와,
진짜?
만세─♡
언니 몸무게엔 반응하지 않지만, 거기에 만두 하나만 더 얹혀도 폭삭 주저앉도록 설계했는데, 당연하지!

뚠뚠이 때의 실패를 경험으로 만든 '무공 고수'용 설계가 완전 먹혔어!
근데 처음 몇 걸음 동안은 장치가 작동 안 한 걸로 봐서 쟤네들도 보통은 넘는 것 같은데?
쿠 쿠 쿠 쿠...

크·크··크·크··
……

쿠쿵··
쿵·

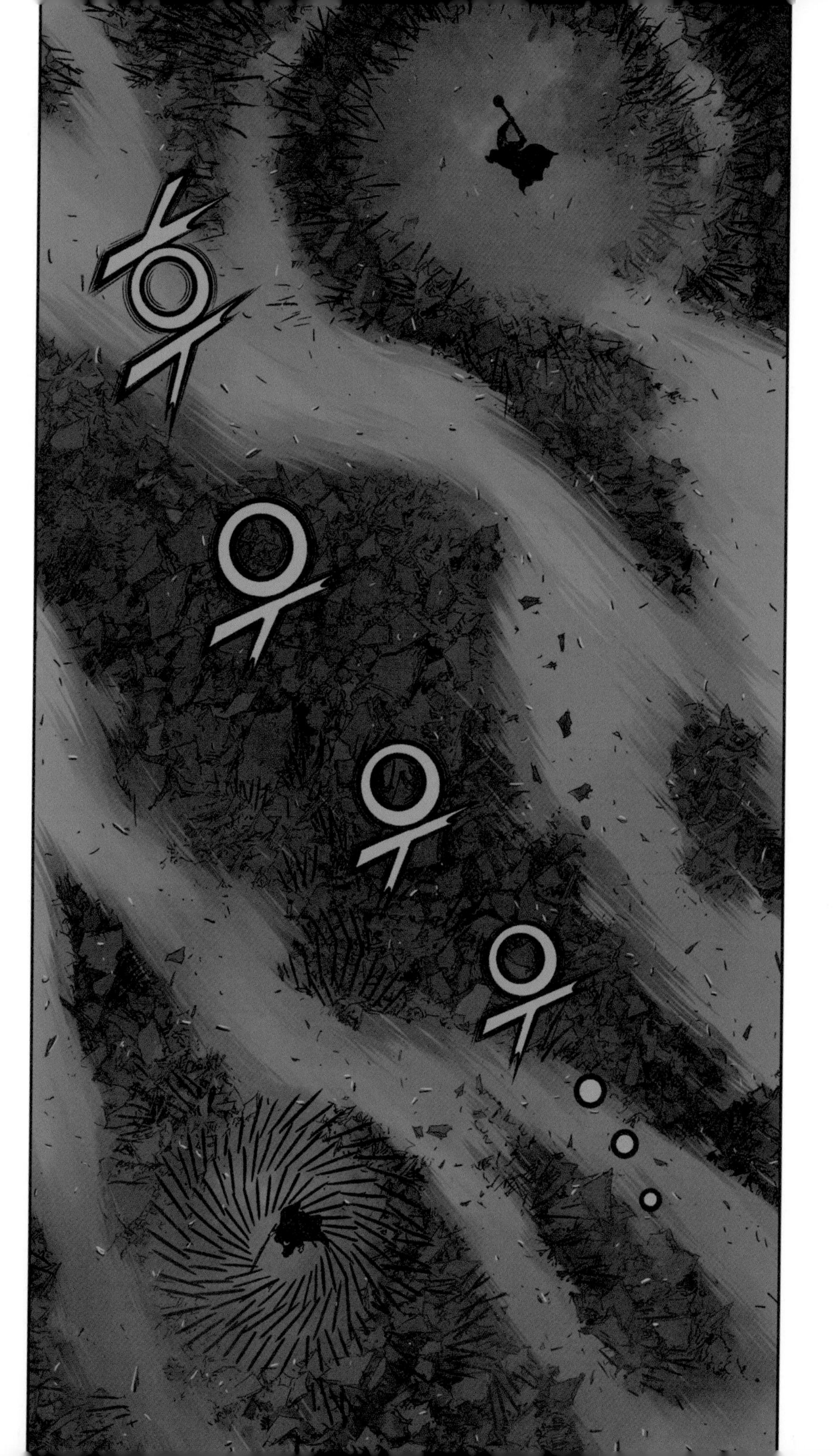

흥!

바닥 쪽엔
함정이 있을까 봐
나무 위로 온다?
머리 썼네.
키득…

……?!

파악

잠깐
멈춰!

쥐새끼,
어디 이번에도
피해봐라!

후웅..

쿠..우..우..

쿠쿵..
쿵.

…잘 왔어….

여기가
지옥이야!

후우우우..

쿠웅...

사 아 아··

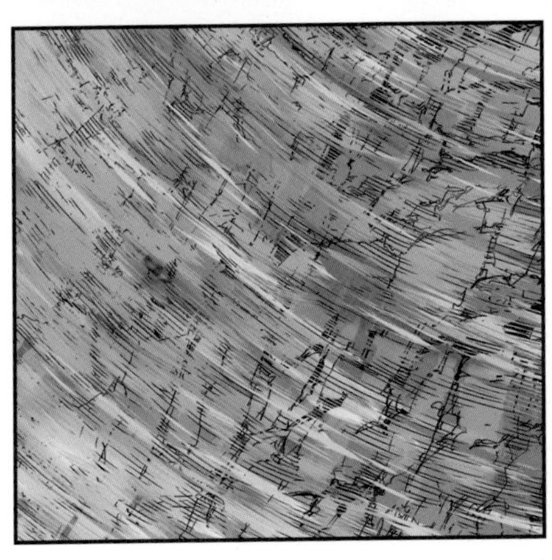

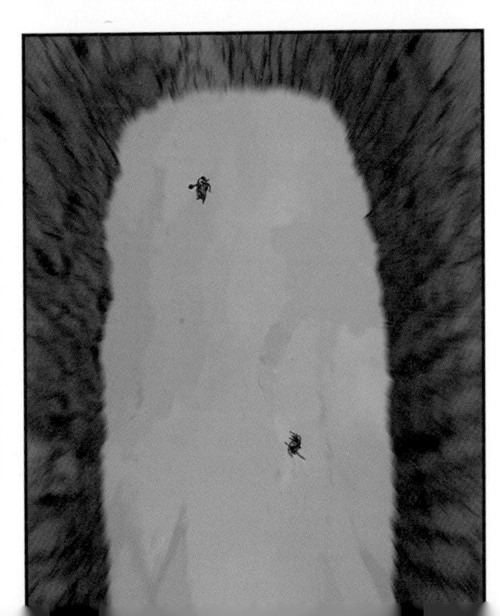

이건 또 뭐야!
....

쿠

쿠 쿠 쿠

억?

콰..
!

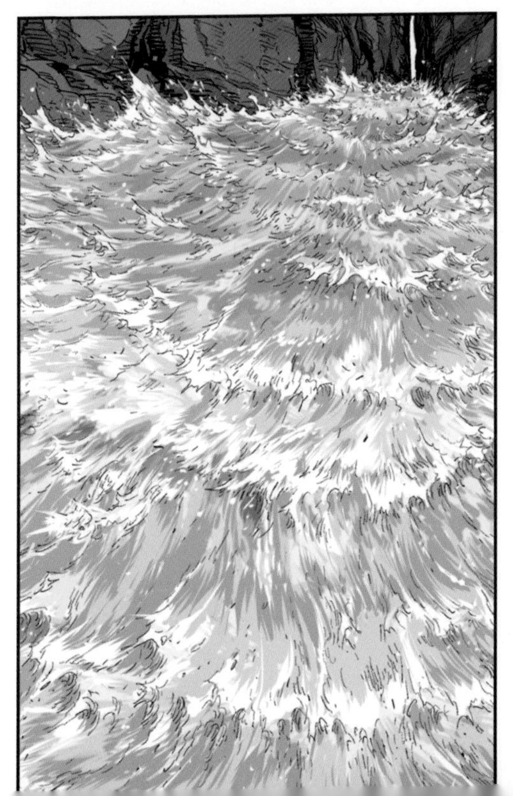

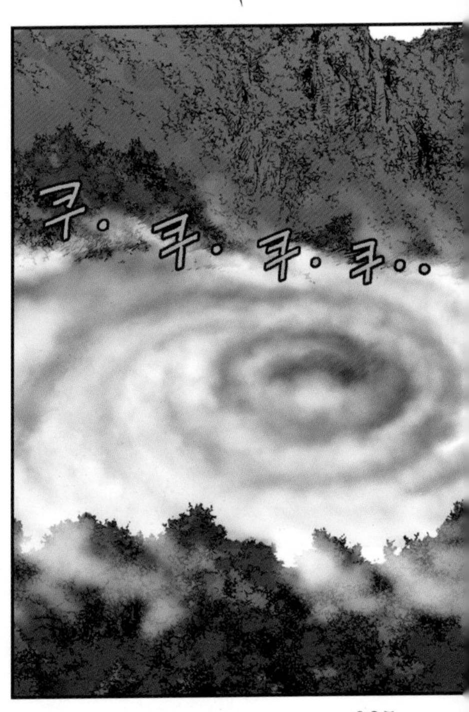
쿠. 쿠. 쿠. 쿠..

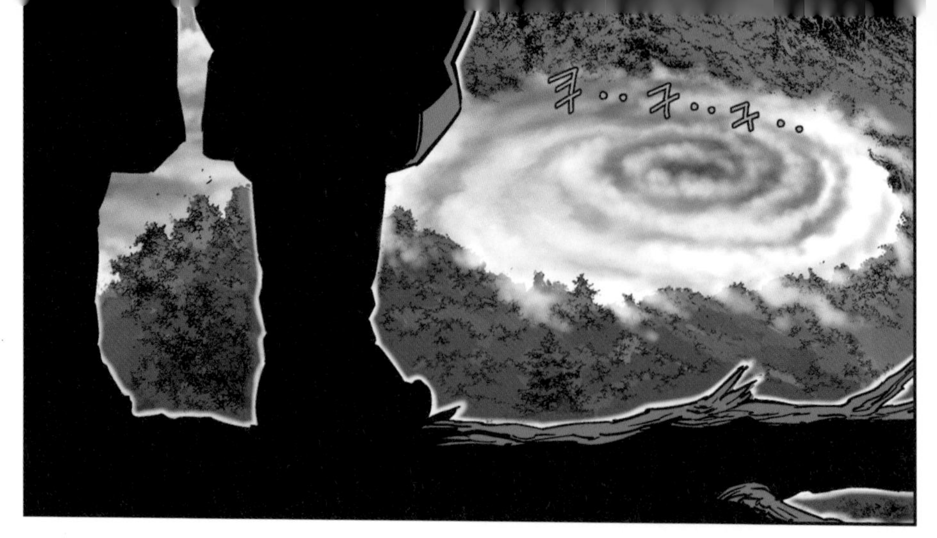
쿠..구..구..

쿠..구..구..
왕언니 가문의 비기, 공손가의 '오행사망진'! 언니가 빼내주지 않으면 쟤들은 살아서 못 나와!

잡았다!
이예—♬
바보들…, 아까 그 함정이 전부인 줄 알고 덤비다가 제대로 걸려들었어!

쟤들도 쟤들이지만 그 괴물 영감을 저기로 끌어들였어야 하는 건데 아깝다~!

그 영감도 유인해오면 되지!
…….

154화

사…부님….

…….

왜…
그런 눈으로….

몰랐나?

네가 의식하지 못할 때
너를 향한 파천신군의 눈빛은
언제나 저랬어.

왜 그런 줄 알아?

여긴….

저 사람이
누군지…

알아보겠어?

…….

두근

해동검문의
젊은 수장
강윤.

들어본 적
있을 텐데…?
두근
두근

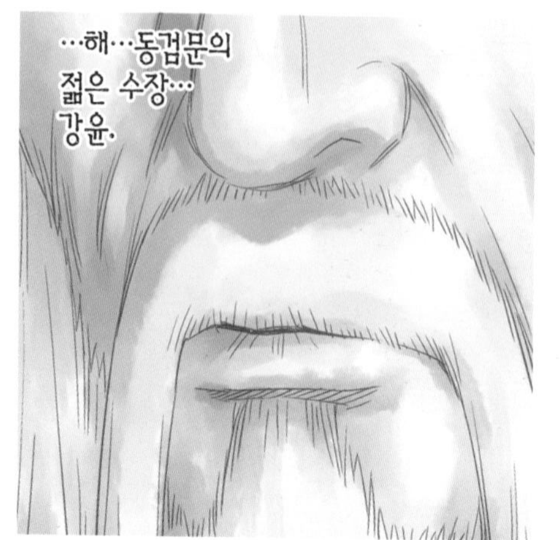
…해…동검문의
젊은 수장…
강윤.

네 모친에게 전해 들은
부친의 성명이다.
기억해두거라.

……….

그럼…

저 사람을 죽인 자는
누구일까?

이제 파천신군이 왜 그런 눈으로 바라봤는지 알 것 같아?
아니면 아직….
거짓말.

거짓말이야…. 아버진 내가 태어나기도 전에 돌아가신 분이야.
내게 이런 기억이 있을 리 없어.
킥…, 스승 외엔 아무도 못 알아보더니 이제야 기억이 돌아온 건가.
뭐, 맞아. 이건 네 기억이 아냐.
허나 내가 가진 게 네 기억만은 아니지.
너와 막사평은 물론 내겐 지금까지 나를 소유했던 모든 이들의 기억이 고스란히 남아 있다.
원한다면 무림사 전체를 네 앞에 펼쳐 보일 수도 있어.

나는 지금 네게
실제로 있었던 사실들을
보여주고 있는 거다,
강룡.

……….
네 기억을 뒤져보니
"죽은 남편의 복수를
위해서였다."라고
파천신군에게 들은 것
같던데…,

어머니가 그곳까지
파천신군을 찾아온 이유,
기억해?

정작 복수의 대상이
누군지에 대해선…
말해준 적 있어?

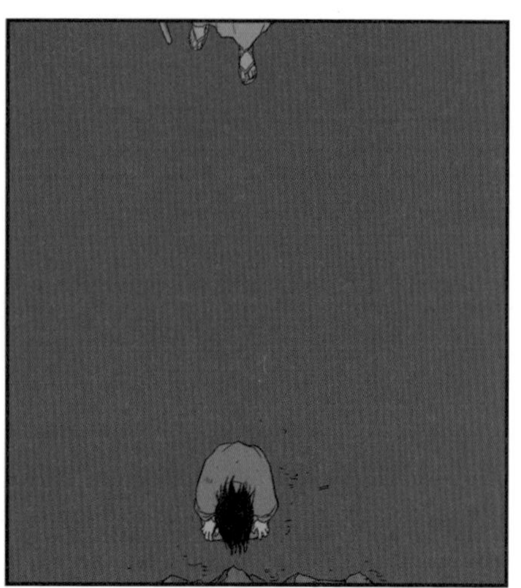

또 이곳에
와 있었더냐.
…….

아무리 떠올리려 해도
엄마 얼굴이 생각
안 나요, 사부님.

…….

그건……
네가 태어난 지
얼마 되지 않아
돌아가셔서
그럴 게다.

누구죠?

아버지를 죽이고
엄마까지 이런 곳에서
죽게 한 그자….
사부님은 알고 계시죠?

…….
……
…….

…지금은

수련에만
집중하거라.
파천십이신공을
완성하는 날,
자연히 네 부모님의
원한을 갚게 될
것이니….

사부님
원수도요!

사부님을
이렇게 만든 자들도
용서하지 않을 거예요!

…….
그래….

저 부분이
애매하단
말씀이야.

뭔가 얘기한 것 같긴 한데
기억이 흐릿해서 도무지
알아들을 수가 없어.

파천신군이
자기가 죽였다고
말했을 것 같진 않…
!
콱

닥쳐. 너….

설마…
네 모친이 자신에게 복수를 청탁하기 위해 찾아왔다는 파천신군의 말을 지금도 믿고 있는 건 아니겠지?
남편의 죽음에 한을 품고 찾아온 여인은 죽고 그 복수의 대상인 파천신군은 살아남았다….
그게 뭘 말하는지 아직 모르겠어?
아니면 그 일에 대해서는 오로지 스승의 말만 믿고,
바로 그 스승이 부모님의 원수일지도 모른다는 의심은 지금까지 단 한 번도 해본 적 없는 거냐.
네가 젖먹이 때 돌아가셨다는 어머니가 어떤 죽음을 맞이했는지….
쿵
그만!
그만하란 말이야! 너 뭐야! 대체 뭘 노리고 나한테 이러는 거야!

말했잖아.
난 그저
일어났던 일들을
알려주는 것뿐이라고.
판단은
네가 알아서 해!
…….

155화

…….

미쳤어….
제정신이 아니야!
이대로면
최악의 사태가….

안 돼.
막아야 해요!
귀의해온 이들을 탄압한다면
아무도 우리에게 복종하려
하지 않을 것입니다.

그래서 내 뭐라던가.
최대한 신중을 기하라
그만큼 일렀거늘….
그게 어디
저 혼자만
결정한
일입니까.
그만―!
지금 그런 걸
따지고 있을 땐가.

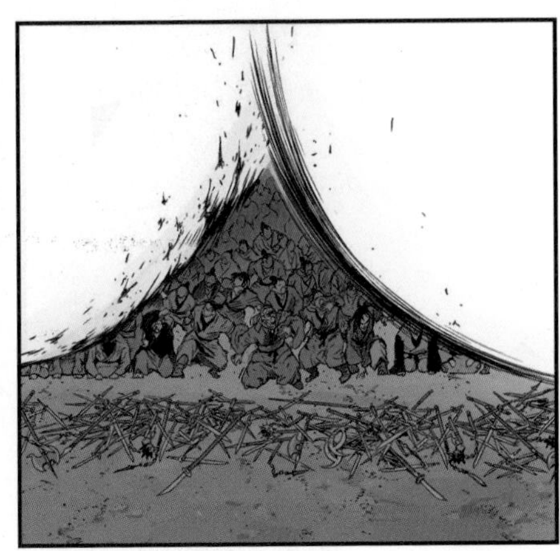

어때?
일전에 한 번 봤던 광경이긴 하지만 지금 보니 또 달라 보이지?
…….
다시 한번 잘 생각해보라고….

네 부친 또한
저들 중 한 사람
이었을 터!
그렇다는 건 결국
네게 있어 「파천신군」은
스승이기 전에 두 분
부모님의 「원수」.

「사천왕」은 오히려
네 부모의 원수를 친
「은인」 인 셈 아닌가!

……

……

도대체 언제까지 망설이고만 있을 생각이냐.
얼마나 더 보여줘야 돼?

'밖'에선 너를 지키기 위해 사람들이 죽어가고 있어.

시간이 없다.
지금이라도 일을 바로잡고 싶다면….

이제 그만 일어나라, 강룡!

ㅋ ㅋ ㅋ...

콰..

!

결…계가….

콰
아

콰
콰
콰
콰

쿠
쿠
쿠
쿠

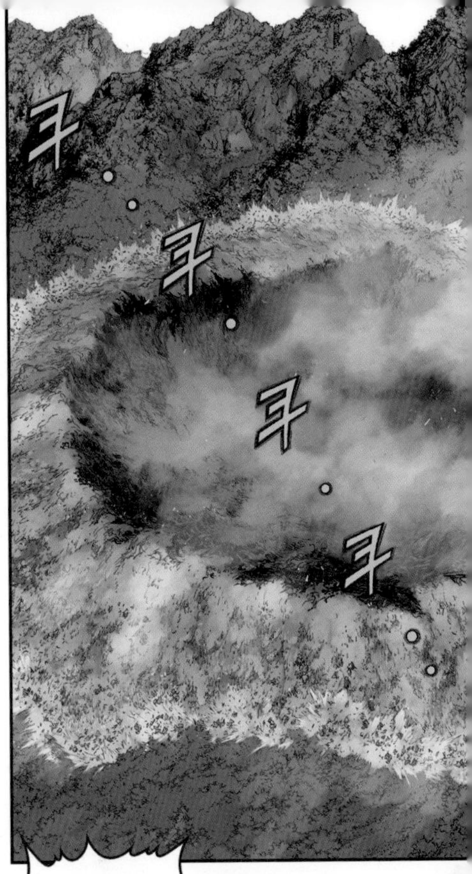
쿠
쿠
쿠
쿠

……!

사망진이 깨어졌어!
마, 말도 안 돼!
쿠
쿠
쿠
쿠
언니는? 흑란 언니는 어떻게 됐어?

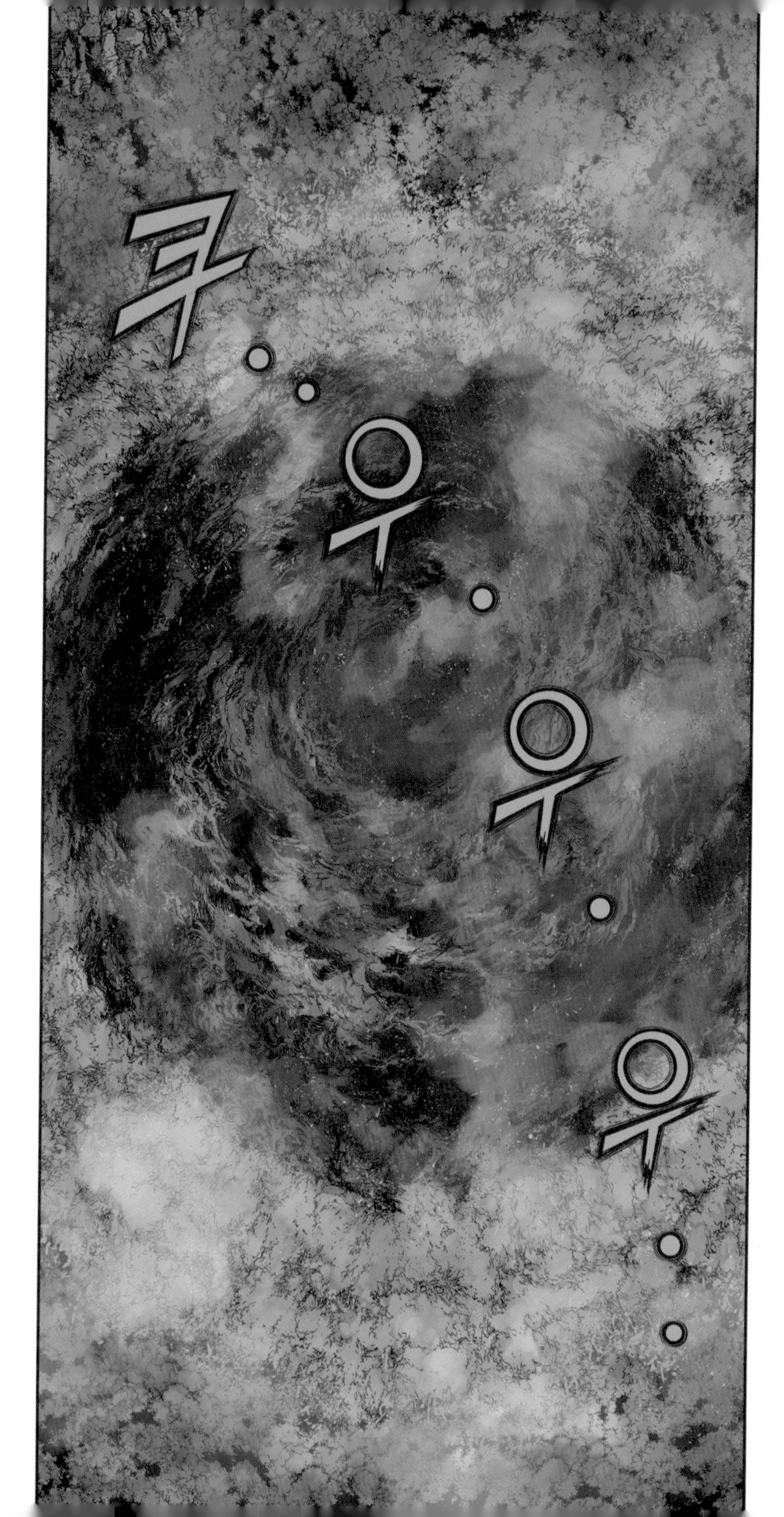
크..오.오.오..

푸아앗
콜록
콜록
콜록
헉
헉
하,
이거야….

겨우 이 정도의
결계로 우릴
잡을 수 있을 거라
생각한 건가?

진(陳)을 다룰 줄
안다면 포태궁이라는
살진에 대해서도
들어봤을 테지.
우리가
지금까지 수련하면서
그런 결계들을 몇 번이나
뚫고 나왔을 것 같소,
소저?

비켜.

우선 팔다리부터
잘라놓고
심문해야겠어.

충
츄
충

카
카
카
카
캉

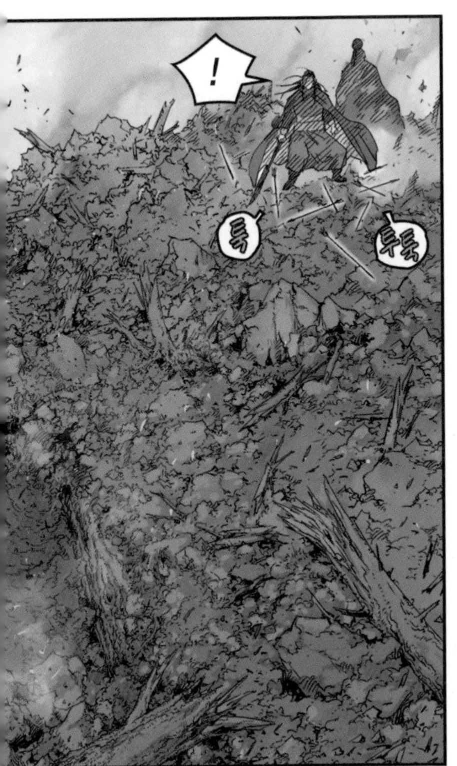
!
툭
투툭

됐어,
왕언니 확보!
후퇴
후퇴—!
….

…….

금방 쫓아올
거야. 서둘러!
흑란 언니가
탈진한 것
같아!
괜찮으세요,
언니?

언니, 일어설 수 있겠어요?
너희들은 빨리 두 사람부터 챙겨!
뚠뚠이는 내가 업을게!
콰

소용없다. 한 놈도 살려 보내지 않아!

…….

뭔데….

뭐냐고,
너희들….

다른 사람은 갈기갈기 찢어 죽여놓고 너희는 뭐길래 죽지도 않느냔 말이야!
무공 좀 익히면 다야? 네놈들이 불사신이라도 돼?

대답해봐, 이 살인마 양아치들아—!

처억..
좋을 대로 생각해라.

음?

교룡갑!

뭐?
!
오오,
과연….
이런 곳에
숨어 있었나.
후…

156화

!

두춘….

엽패….

진유림….

…….

또
이런 변수가….

보고드립니다.

무존께서
도착하셨습니다!

…….

가려는가?
예….

결과는
알고 계시리라
믿습니다.
터무니없는
계약이었지만
약속은 약속.
제 역할은
여기까지인
듯합니다.

이제 곧
우리가 해온 일들이
결실을 맺게 될
터인데….
마지막까지
함께할 생각
없는가.

우리가 아니라
가주님께서 하신
일들이지요.
만분의 일이나마
도움이 되었다면
속하는 그것으로
만족할 따름입니다.

……
그런가?
이미 결심을
굳힌 것 같으니
잡아도 소용없겠군.
허면 어디로 갈
생각인가?

…지금부터
천천히 생각해
봐야겠지요.

그럼….

마지막으로…

한 가지
부탁이 있네만
들어줄 수
있겠나?

말씀
하시지요.

음?

?

이…런….

…벌써
깨어나려
하는가….

안 돼.
아직 단(丹)이
발동하지 않았어!
지금 놈의 상태로는
황저와 곽소종을
감당할 수 없다.
최대한 부딪히지 않고
그 둘에게서 벗어나게
하지 않으면….

투득
득

샤아아아

후우우우..

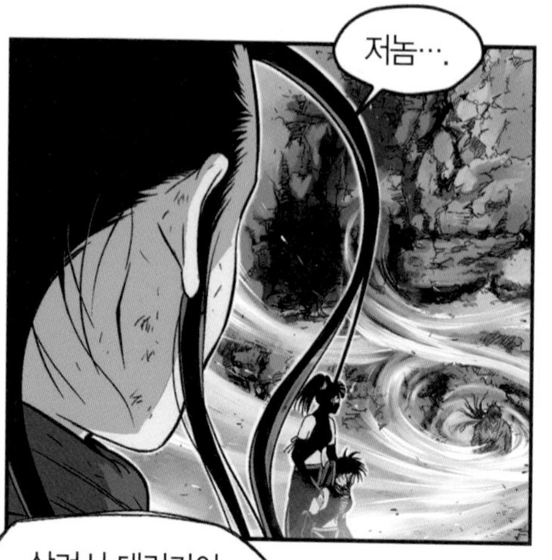
저놈….

교룡갑을 제대로
다룰 줄 안다면 까다로울
수도 있겠는데?

살려서 데려가야
한다면 모를까
죽이라는 명령인데
까다로울 것 있나.
큭..

…….

한쪽은 목숨 걸고 너를 지키려던 사람들….

다른 쪽은 천곡칠살 중 두 명…. 아마 흑룡왕 대신 널 쫓아온 것 같은데,
그 과정에서 널 지키려는 쪽과 충돌한 모양이군.

파천신군과 사천왕,
그리고 네 부모님의 관계를
생각한다면 저들도 결국
네 적은 아니라고
할 수 있지.
네가 하기에 따라
더 이상의 충돌 없이
이 상황을 수습할
수 있어.

나를…
지키기 위해….
누구지?
왜 나를…?!

…….

저 여인….

어디선가 본 적이….
으음….

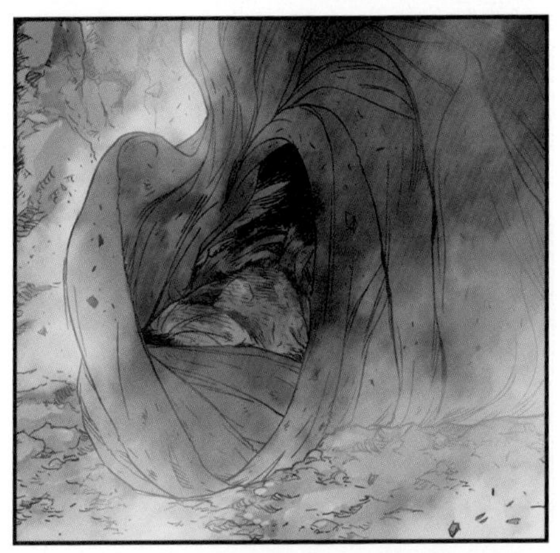

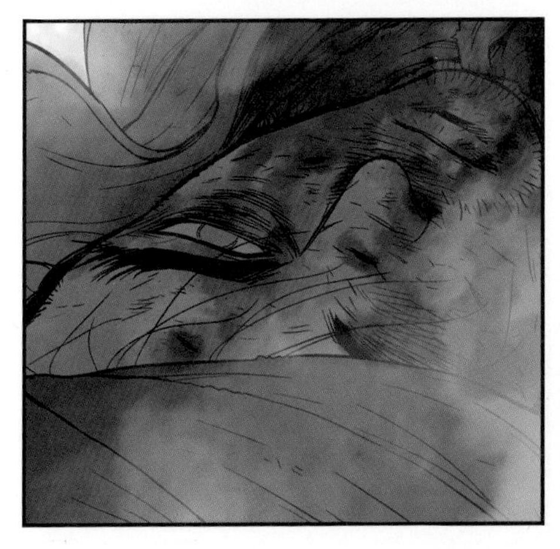

그럼…

놈을
찾았으니 나머진
치워버리도록 하지.
!!
…!

그래,
죽여봐!
어,
언니….
…….

내가 죽으면
할아버지가 너희를
그냥 둘 것 같아?
파천문인지 뭔지
네놈들도 전부 곱게
죽진 못할 테니까 해봐!

이것 참
대단한 협박
이구만.
풋.

그래….
스아…

기대하도록
하지!
홍…

안 돼!
촤악…

언니!

음?

어느 틈에….

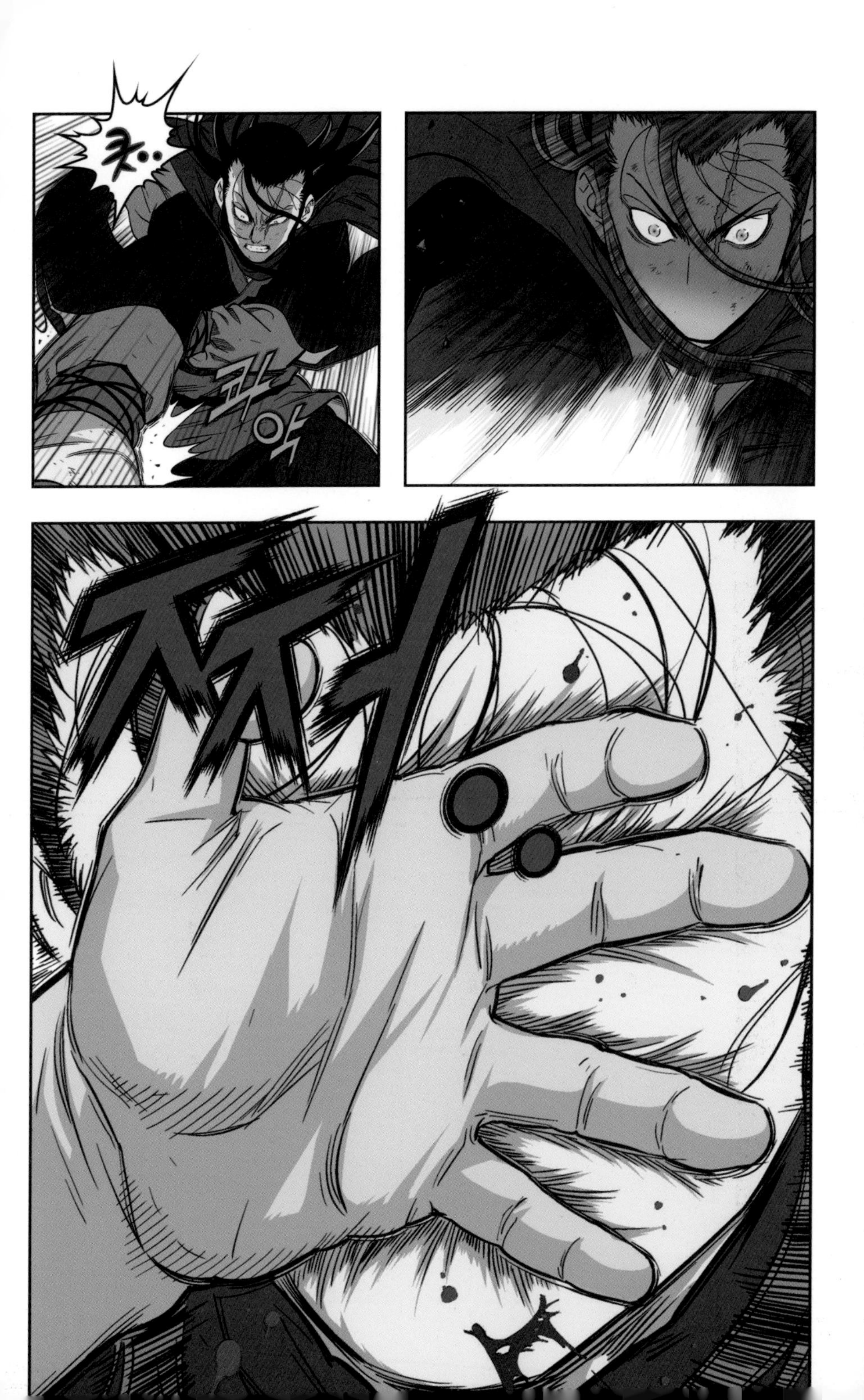

큿..
콰악
쩍

157화

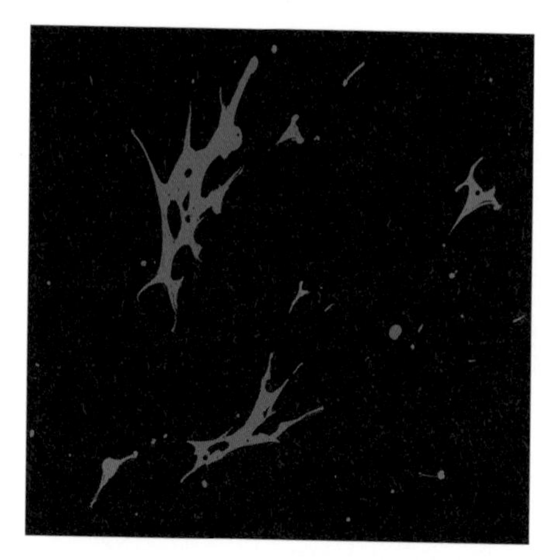

…뭐…야.
도대체 무슨 일이….

어째서 곽소종이 이런 놈에게….

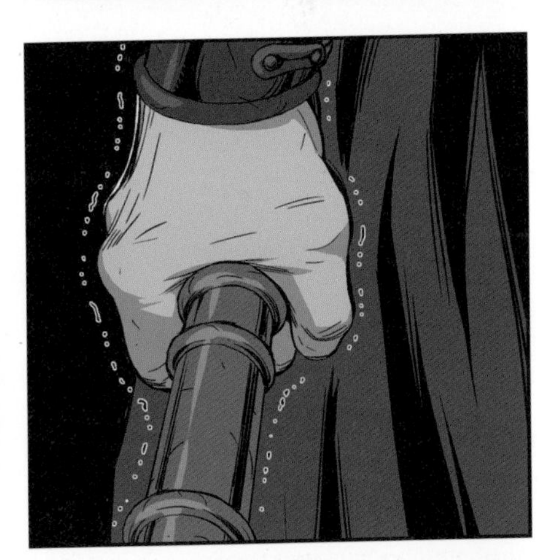

몸이….

이 황지가 공포를
느끼는 건가.
콱
저따위 놈에게…?

제발 움직여,
이 빌어먹을
몸뚱어리…!

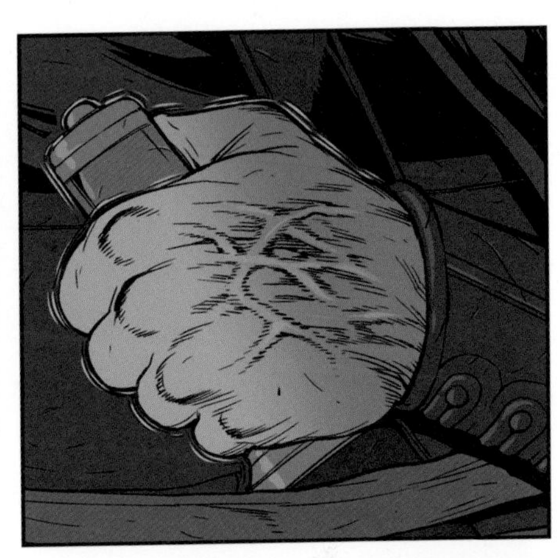

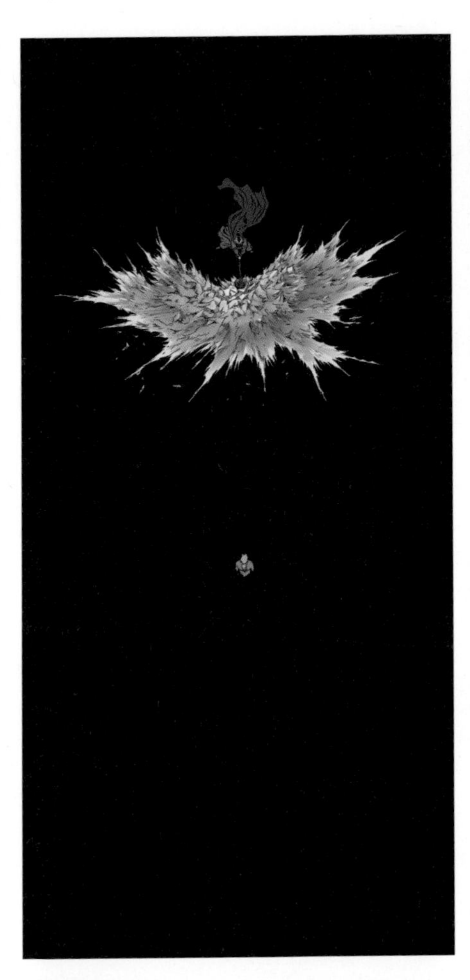

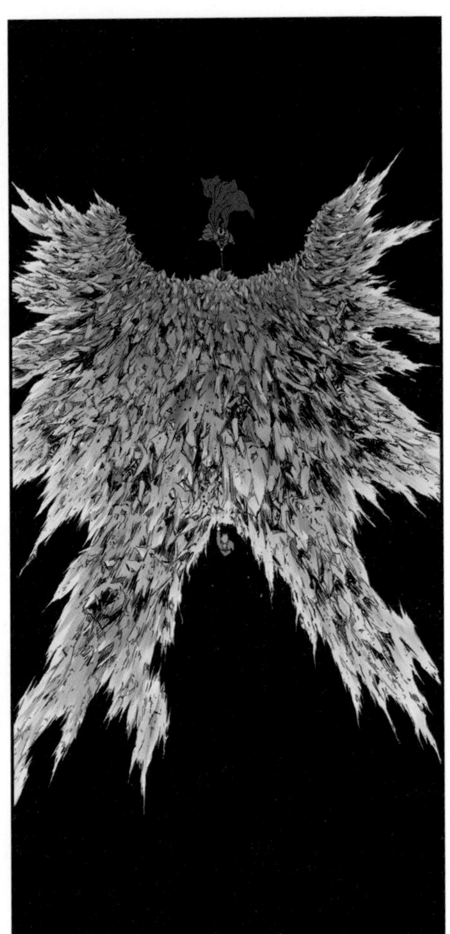

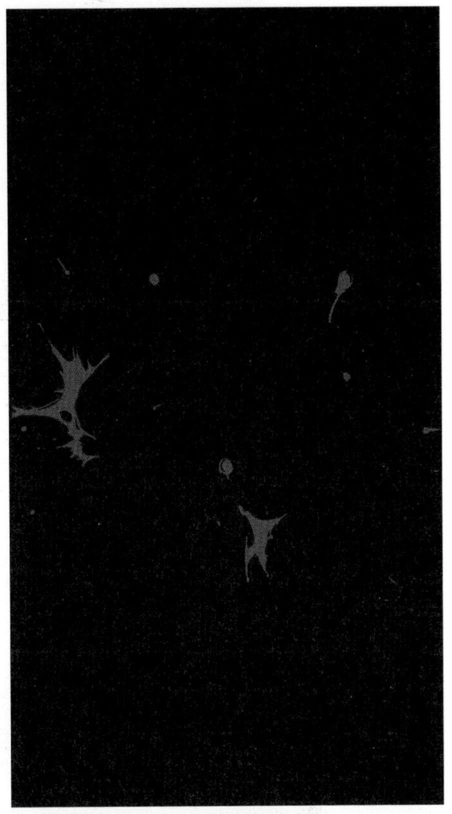

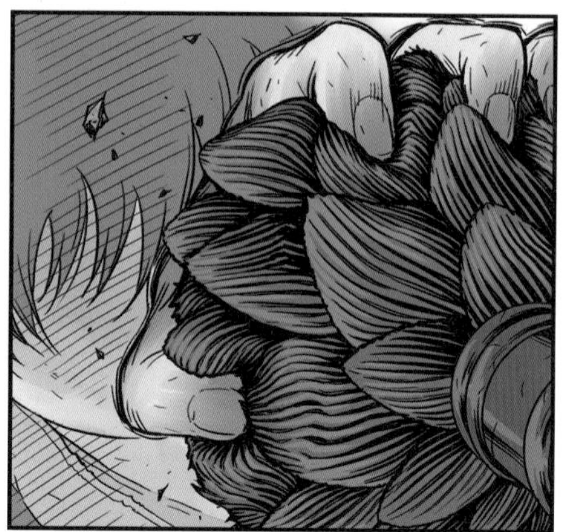

샤이이…
슈아아아…

……….
……….

뚜…, 뚠뚠이가
이상해졌어.
무서워.
혹시 왕언니가
자극하는 바람에
저렇게 된 거
아녜요?
내,
내가 뭘…?
쿨….
얜 뭐야.
지금 이 난리 통에
자고 있는 거야?

……․

대체 놈에게
무슨 일이
일어난 거냐.
분명 저 둘을
감당할 수 있는
몸 상태가
아니었을 텐데.

…이…쪽으로
오고 있는 건가.
혈비와 다시
싸우기 위해?

안 될 일!
설사 놈이 혈비에게
당하기 전보다
강해졌다 해도
단(丹)의 발동 없이는
마도환생을 이룬 혈비에게
이길 수 없다.

막아야 돼!

…….

잠시 뒤에
다시 찾아뵐까요?

음…. 아…,
미안하군.
하던 얘길
계속하지….
예….

이거 참
놀라게 하는구만.

겨우 움직일 수준일
줄 알았는데,
설마 그 짧은 시간에
그 정도까지 내력을
회복했을 줄이야….
…….
치료하면서
심어둔 단(丹)의
영향인가.
단이란 놈은
완전히 발동하지 않고도
육체와 내력의 회복에
영향을 미치는 건가.

그나저나

네가 의식을 공유하길 거부하고 있으니 파천신군에 대한 지금의 네 생각이 어떤지는 모르겠지만,
그가 지금 네 모습을 본다면 어떤 표정을 지을지 궁금한걸.

사천왕만을 상대로 사용하라고 물려준 내공을
사랑하는 제자가 개인적인 분노 때문에 마구잡이 살육에 써버렸으니….

쿡쿡쿡

158화

나 때문이냐?

나 때문에
그렇게 분노하고
있는 거야?

네가 지금 가려는
길은 과거 파천신군이
걸었던 길이다.
알고는
있겠지?

나 때문이라면
그만둬라.
나는 네가
그렇게 되길 원해서
나선 게 아냐.

역시…

내 죽음은
그저 핑곗거리에
불과했던 거냐?

…….
…강윤?
그 해동검문의?
…….
응,
맞아.

그 사람, 파천문과 싸우다 죽었다지 않았나.
그랬지.
뭐? 그럼 어떻게 되는 거야? 용이 아버지의 원수가 파천신군이란 거잖아.
…….
허면 사천왕은 오히려 부친의 원수를 갚아준 셈인가….
쯧쯧…, 스승이란 자가 제 아비의 원수라니 딱하구만….
딱하긴.
아까 눈 하나 깜짝 않고 사람 죽이는 거 못 봤어?
그러게 말이야. 난 아주 소름이 쫙 돋던걸….
부모 얼굴도 모르고 파천신군의 손에 키워졌으니 파천신군을 닮아가는 건가.
그 사부에 그 제자…. 학살자의 제자는 결국 살인자일 뿐이야.
평소에 아닌 척 해봤자 결국 근본은 어쩔 수 없는 거지.
끄…, 끔찍하군….
…….

…저 눈빛 좀 봐.
오싹하구만.

지금까진
어떻게 숨기고
살았을까….
또 모르지. 우리 몰래
어디서 무슨 짓을
저지르고 다녔을지.
세상에….

쿠웅…

너는 천곡산으로
들어올 자격이 없다.
물러나라!
그 이상 접근하면
제령왕님의
명에 의해
척살하겠다!

멈춰라!

…….

…놈을 막아야 해.

지금은 아직 여기로 오게 해선 안 돼.
때가 되면 일러주겠네. 그때까진 어떻게든 막아주게.
수단과 방법은 그대에게 일임하겠다!

…….

그렇다 해도….

천곡성 내의
거의 모든 병력을
데려가라니
도대체 무슨
생각이신지,
원….

….
….

어느 정도인지나
한번 볼까.
마지막으로
경고한다.
물러서라!

그 패왕이
직접 길러낸
제자라….

큿
이놈…!
척살!

콰앙

퍼어억..

호오,
제법이군.

허나….

쿨럭
쿨럭

힘 조절에
신경 쓸
기분 아니야.
일어나지 마.
크윽

머…,
멈춰….

철컹…

제령왕님의…
명에… 의해…

네놈…을
처단…한다….

으윽
콰득..

쉬이..

쿠..

콰
광
이런….
그 녀석들은
제령왕께서 배양한
개량종 고(蠱)를
몸속에 품고 있다….
…라는 설명을
미리 해줄 걸
그랬나.
막을 수만 있다면
수단과 방법은
개의치 않는다
하셨으니
놈이 죽는다 해도
어쨌든 목적은
달성한 셈.
끝…

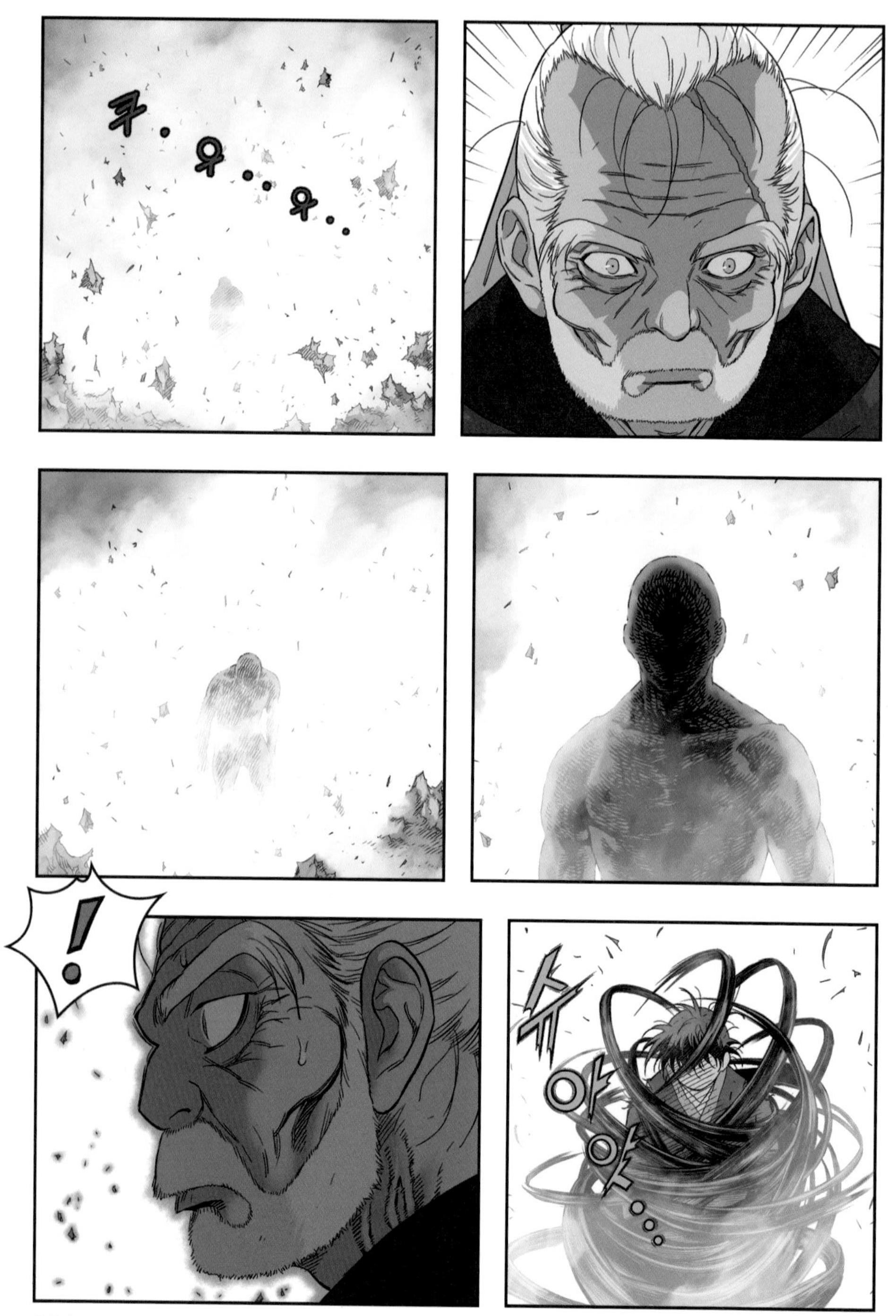
쿠. 우...우...
!
슈아아...

교룡갑?

…….

아무리 파천신군의 제자라곤 하나 한 명을 막기 위해 이 정도의 병력을 동원시킨 이유….
교룡갑 이라….

그랬군.

놈이 절대 죽진 않을 거란 믿음이 있기 때문이었어.
후…
짓궂은 분이라니까.

아마도… 순차적으로 병력을 투입해 시간을 끌어주길 바라고 있겠지만,
척…

이 늙은이도 한시바삐 일을 마무리 짓고 여길 벗어나고 싶은 생각 뿐이어서 말이지요….

네가 그 둘을 해치울 땐
그만한 감정의 폭발이
일어났기 때문이었지만,
이들은 단지
네 발걸음을 멈추게
하기 위해 목숨 따윈
헌신짝처럼 버린다.
…새삼스럽게
뭘 당황하고 있어.
이것이 무림이고
이런 것이 조직에 소속된
저들 무림인들의
방식이지.
그런 게 불만인 자들은
진작 무림을
떠났을 터.
모두 스스로의 선택이고
결과에 대한 책임 또한
자신들의 몫이다.
조직의 목적을
위해서라면 도구처럼
쓰이고 버려지더라도
기꺼이 감수하는 족속들….
어설픈 동정은
저들에게
치욕일 뿐이야.
전력으로 대응
해주는 것이
네가 저들에게
베풀 수 있는
최대한의 자비다!
하지만…
몸속에 고(蠱)를
품고 있는 것들이
저렇게까지
덤벼들면
아무리
나라고 해도
버거울 것
같은데….

일단 여기서
물러나는 게 어때?

애초 신선림을
염두에 두고 길러온
살귀들이다.
천하의
교룡갑도 너를
완벽히 보호하진
못할 것이야.

13권에 계속

2023년 6월 25일 초판 1쇄 발행

저자 문정후 류기운

발행인 정동훈
편집인 여영아
편집책임 최유성
편집 양정희 김지용 김서연
디자인 디자인플러스
본문편집 한상희

발행처 (주)학산문화사
등록 1995년 7월 1일
등록번호 제3-632호
주소 서울특별시 동작구 상도로 282 학산빌딩
편집부 02-828-8988, 8836
마케팅 02-828-8986

ISBN 979-11-411-1093-2
ISBN 979-11-6927-882-9(세트)

값 15,000원